COLLECTION FICTIONS

Le Désert mauve de Nicole Brossard
est le douzième titre de cette collection
publiée à l'HEXAGONE.

Poésie

Aube à la saison, in *Trois*, Montréal, Éditions de l'A.G.E.U.M., 1965.
Mordre en sa chair, Montréal, Éditions de l'Estérel, 1966.
L'écho bouge beau, Montréal, Éditions de l'Estérel, 1968.
Suite logique, Montréal, Éditions de l'Hexagone, 1970.
Le centre blanc, Montréal, Éditions d'Orphée, 1970.
Mécanique jongleuse, Paris, Génération, 1973.
Mécanique jongleuse suivi de *Masculin grammaticale*, Montréal,
     Éditions de l'Hexagone, 1974.
La partie pour le tout, Montréal, Éditions de l'Aurore, 1975.
Le centre blanc, Montréal, Éditions de l'Hexagone, 1978.
D'arcs de cycle la dérive, poème, gravure de Francine Simonin,
     Saint-Jacques-le-Mineur, Éditions de la Maison, 1979.
Amantes, Montréal, Les Quinze, éditeur, 1980.
Double Impression, Montréal, Éditions de l'Hexagone, 1984.
L'aviva, Montréal, NBJ, 1985.
Domaine d'écriture, Montréal, NBJ, n⁰ 154, 1985.
Mauve, avec Daphne Marlatt, Montréal, NBJ, 1985.
Character/Jeu de lettres, avec Daphne Marlatt, NBJ, 1986.
Sous la langue/Under Tongue, édition bilingue, traduction de
     Susanne de Lotbinière-Harwood, Montréal, L'essentielle,
     éditrices/Gynergy Books

Prose

Un livre, Montréal, Éditions du Jour, 1970; Les Quinze, éditeur,
     1980.
Sold-out (étreinte/illustration), Montréal, Éditions du Jour, 1973;
     Les Quinze, éditeur, 1980.
French kiss (étreinte/exploration), Montréal, Éditions du Jour, 1974;
     Les Quinze, éditeur, 1980.
L'amèr ou *Le chapitre effrité* (fiction théorique), Montréal, Quinze,
     1977.
Le sens apparent, Paris, Flammarion, 1980.
Picture theory, Montréal, Éditions Nouvelle Optique, 1982.

Théâtre

L'écrivain, in *La nef des Sorcières*, Montréal, Quinze, 1976.

NICOLE BROSSARD

Le désert mauve

roman

l'HEXAGONE

Éditions de l'HEXAGONE
Une division du groupe Ville-Marie Littérature
1010, rue de La Gauchetière Est
Montréal, Québec H2L 2N5
Tél.: (514) 523-1182
Téléc.: (514) 282-7530
Courrier électronique: vml@sogides.com

Conception générale: Nicole Brossard
En couverture: Gay Blackwood, Ville d'Albuquerque, Nouveau-Mexique, 1986
Photos intérieures: R.-Max Tremblay
Illustration intérieure: Richard Misrach, 1979
Photo de l'auteure: Denyse Coutu

DISTRIBUTEURS EXCLUSIFS:

• Pour le Québec, le Canada et les États-Unis:
LES MESSAGERIES ADP*
955, rue Amherst, Montréal, Québec H2L 3K4
Tél.: (514) 523-1182
Téléc.: (514) 939-0406
*Filiale de Sogides ltée

• Pour la Belgique et le Luxembourg:
PRESSES DE BELGIQUE S.A.
Boulevard de l'Europe, 117, B-1301 Wavre
Tél.: (010) 42-03-20
Téléc.: (010) 41-20-24

• Pour la Suisse:
TRANSAT S.A.
Route des Jeunes, 4 Ter, C.P. 125, 1211 Genève 26
Tél.: (41-22) 342-77-40
Téléc.: (41-22) 343-46-46

• Pour la France:
D.E.Q.
30, rue Gay Lussac, 75005
Tél.: 01 43 54 49 02
Téléc.: 01 43 43 39 15
Courrier électronique: liquebec@imaginet.fr

Dépôt légal: 3e trimestre 1987
Bibliothèque nationale du Québec
Bibliothèque nationale du Canada

Lire, c'est aller à la rencontre d'une chose qui va exister mais dont personne ne sait encore ce qu'elle sera...

Italo CALVINO

LAURE ANGSTELLE

Le Désert mauve

𝒜

Éditions de l'Arroyo

Le désert est indescriptible. La réalité s'y engouffre, lumière rapide. Le regard fond. Pourtant ce matin. Très jeune, je pleurais déjà sur l'humanité. À chaque nouvel an, je la voyais se dissoudre dans l'espoir et la violence. Très jeune, je prenais la Meteor de ma mère et j'allais vers le désert. J'y passais des journées entières, des nuits, des aubes. Je roulais vite et puis au ralenti, je filais la lumière dans ses mauves et petites lignes qui comme des veines dessinaient un grand arbre de vie dans mon regard.

J'étais alerte dans le questionnement mais il y avait en moi un désir qui sans obstacle m'effrayait comme une certitude. Puis venaient le rose, le roux et le gris parmi les pierres, le mauve et la lueur de l'aube. Au loin, les ailes étincelantes d'un hélicoptère à touristes.

Très jeune, je fus sans avenir comme la baraque du coin qui fut un jour incendiée par des gars «venus de loin», disait ma mère qui leur avait servi à boire. Un seul d'entre eux était armé, m'avait-elle juré. Un seul parmi eux. Tous les autres étaient blonds. Ma mère parlait toujours des hommes comme s'ils avaient vu le jour dans un livre. Elle n'en disait pas plus et s'en retournait devant son téléviseur. Je voyais son profil et le reflet du petit peigne en argent qu'elle portait toujours dans ses cheveux et auquel j'attribuais un pouvoir magique. Son tablier était jaune avec de petites fleurs. Je ne l'ai jamais vue portant une robe.

J'avançais dans la vie, les yeux fous d'arrogance. J'avais quinze ans. C'était un délice comme un pouvoir de mourir ou de s'enfoncer dans la nuit avec des cernes autour des yeux, des espaces absolument délirants à proximité du regard.

Je connaissais bien le désert et les routes qui le traversaient. Lorna, cette amie de ma mère, m'avait initiée à l'érosion, à tous les fantômes vivant dans la pierre et la poussière. Elle m'avait décrit des paysages, certains familiers, d'autres absolument incompatibles avec la végétation et le sol aride de mon enfance. Lorna inventait. Je savais qu'elle inventait car moi je pouvais distinguer entre le diamantin de l'Ouest et le crotale cornu, entre le troglodyte et la tourterelle triste. Lorna inventait. Parfois je pensais qu'elle aboyait tant étaient rudes et impensables ses mots. Lorna n'avait pas connu d'enfance, seulement des filles après l'école à qui elle donnait rendez-vous avec ostentation à l'heure du midi. Les filles aimaient l'embrasser sur la bouche. Elle aimait les filles qui se laissaient embrasser sur la bouche.

La première fois que j'ai vu Lorna, je l'ai trouvée belle et j'ai prononcé le mot «salope». J'avais cinq ans. Au souper, ma mère lui souriait. Elles se regardaient et quand elles parlaient leurs voix étaient pleines d'intonations. J'observais obstinément leurs bouches. Lorsqu'elles prononçaient des mots qui commençaient par *m*, leurs lèvres disparaissaient un instant puis gonflées se réanimaient avec une incroyable rapidité. Lorna dit qu'elle aimait le moly et la mousse de saumon. Je renversai mon verre de lait et la nappe se transforma en Amérique avec une Floride qui se prolongeait sous la salière. Ma mère épongea l'Amérique. Ma mère faisait toujours semblant de rien quand les choses étaient salies.

Je prenais souvent la route. Bien avant d'avoir mon permis de conduire. En plein soleil, au crépuscule, et même la nuit, je partais pendant que ma mère me criait des mots aigus qui se perdaient dans la poussière du stationnement. J'ai toujours pris la route du désert car très jeune je voulais savoir pourquoi dans les livres on oublie de mentionner le désert. Je savais que ma mère serait seule comme une femme peut l'être mais je fuyais le reflet magique du peigne dans ses cheveux, cherchant les reflets brûlants du soleil aveuglant, cherchant la nuit dans les yeux éblouis des lièvres, une lueur de vie. «À moi la confrontation de l'aridité» et j'appuyais sur l'accélérateur, folle de la maudite énergie de mes quinze ans. Un jour j'aurais l'âge et le temps nécessaire comme une date de naissance pour en finir avec la vie. Un jour, je serais *fast so fast, sharp so sharp*, un jour j'aurais devant la nécessité de l'aube tout oublié de la civilisation des hommes qui venaient dans le désert voir éclater leurs équations comme une humanité. Je roulais vite, seule comme un personnage émondé de l'histoire. Je disais «tant de fois j'ai sombré dans l'avenir».

La nuit, il y avait le désert, les yeux luisants des lièvres antilopes, les fleurs de *senita* qui ne s'ouvrent qu'à la nuit. Il y avait sous les phares de la Meteor le corps gisant d'une humanité qui ne connaissait pas l'Arizona. L'humanité était fragile parce qu'elle ne soupçonnait pas l'existence de l'Arizona. *So fragile.* J'avais quinze ans et je désirais que tout soit comme en la fragilité de mon corps, cette tolérance impatiente qui rend le corps nécessaire. J'étais experte au volant, les yeux fous en pleine nuit, j'étais capable dans le noir d'avancer. Je savais tout cela comme un désespoir pouvant m'affranchir de tout. L'éternité était une ombre dans la musique, une fièvre du cerveau qui le faisait basculer dans le décalque des autoroutes. L'humanité était fragile, gigantesque espoir suspendu au-dessus des villes. Tout était fragile, je le savais, je l'avais toujours su. À quinze ans, je faisais semblant d'avoir oublié la médiocrité. Tout comme ma mère je prétendais que rien n'était sali.

L'ombre sur la route dévore l'espoir. Il n'y a pas d'ombre la nuit, à midi, il n'y a que certitude qui traverse la réalité. Mais la réalité est petit piège, petite tombe d'ombre qui accueille le désir. La réalité est un petit feu de passion qui prétexte. J'avais quinze ans et de toutes mes forces j'appuyais sur mes pensées pour qu'elles penchent la réalité du côté de la lumière.

Et maintenant stationner l'auto devant le Red Arrow Motel. *La chaleur, le Bar. Toute la surface du bar ressemble à une image télévisée: des coudes partout appuyés comme des ombres et des saletés d'humanité qui se répètent. Je bois une bière et personne ne s'aperçoit que j'existe.*

CHAPITRE UN

L'homme long dépose sa serviette sur le lit. Il a eu chaud, il défait le nœud de sa cravate. Il se dirige vers la salle de bains. Il pense à l'explosion, il y pense et ça ne suffit pas. Quelque chose. Il connaît de jolis petits sentiers, des coloris nuancés. Il hésite devant le miroir. Il se lave les mains. Il pense à l'explosion, il pense à ça et rien n'arrive dans sa tête. Il enlève son veston, le lance sur le lit. Un stylo tombe par terre. Il ne se penche pas. Il allume une cigarette. Il joue avec le rebord de son chapeau en feutre qu'il ne quitte presque jamais. Il pense à l'explosion. Il récite pour le plaisir des sons quelques phrases en sanscrit, les mêmes qui tantôt ont ravi son entourage. Il marche de long en large dans la chambre. La fumée de sa cigarette le suit comme une présence spectrale. L'homme long connaît la valeur magique des formules. Il pense à l'explosion. La moindre erreur pouvait avoir des conséquences catastrophiques. L'homme long s'allonge avec des visions blanches puis orange puis le sol sous ses pieds se transforme en jade — *I/am/become/Death* — maintenant nous sommes tous des fils de chiennes. L'homme long appuie sa tête sur l'équation.

J'avais le pouvoir sur ma mère de lui prendre son auto au moment le plus inattendu. Ma mère avait le pouvoir insoupçonné de susciter en moi une terrible solitude qui, lorsque je la voyais si rapprochée de Lorna, me ravageait car alors il y avait entre elles juste assez de silence pour que s'infiltre en moi la pensée de leur chair confondue. Un soir, je surpris dans l'obscurité de leur chambre ma mère, épaules et nuque tendues comme une existence vers la nudité de Lorna.

Je roule. J'hurle, gueul'e de rock, la bouche pleine des paroles que je chante au même rythme que la voix de femme qui fait éclater la radio. Une voix de malheur interrompt la chanson. J'hurle. J'appuie sur l'annonceur qui interrompt la musique jusqu'à ce que le tremblement de terre se dissipe au loin, raz-de-marée, se résorbe dans le bleu Pacifique. Le désert est la civilisation. Je n'aime pas quitter ma mère la nuit. J'ai peur pour elle. Les mères sont fragiles comme la civilisation. Il ne faut pas les oublier devant leur téléviseur. Les mères sont des espaces. J'aime rouler vite dans la Meteor de ma mère. J'aime la route, l'horizon en fuite, sentir le vide frais de l'aube. Je ne panique jamais dans le désert. En pleine nuit ou même en pleine tempête de sable lorsque le pare-brise se couvre peu à peu, je sais être isolée de tout, concrète et irréelle tel un personnage circonscrit au volant d'une vieille Meteor. Dans le sombre de la poussière, je sais exister. J'écoute le bruit effrayant, le fracas du vent et du sable sur la carrosserie. Je me soumets totalement à l'aveuglement. J'appuie légèrement deux doigts sur chaque paupière et je regarde au-dedans de *l'espèce* intime, tout au fond de mon cerveau s'écouler le temps. Je vois les secondes, petites cicatrices argentées, se déplacer comme des créatures. Je reconnais la trace des créatures qui sont passées par là où les secondes forment des pyramides, des spirales, parmi les vestiges, de beaux chevrons de grès. Une fois seulement des mots que je n'ai pas su lire. Et leur forme s'est vite dissipée comme s'il s'était agi d'une transcription partielle de la lumière au fond du cerveau.

Je roulais avide. Je choisissais la nuit le désert pour ainsi m'exposer à la violence de l'instant qui meut la conscience. J'avais quinze ans et devant moi l'espace, l'espace au loin qui m'amenuisait comme une civilisation à rebours, cité perdue dans l'air tremblant. J'étais dans la Meteor de ma mère la solitude exemplaire avec, au bout de mes pieds, un frein pour éviter tous les désastres et pour me rappeler l'insignifiance du désespoir parmi les serpents et les cactus dans la nuit la plus bleue de tous les délires.

Je suis le rire de ma mère quand je blêmis devant la détresse de l'humanité. Jamais ma mère ne pleurait. Je ne l'ai jamais vue pleurer. Ma mère ne pouvait pas songer que la solitude fût comme une exactitude de l'être. Elle tremblait devant les bruits de l'humanité mais aucune solitude ne lui parvenait vraiment. Dans les pires moments de son existence ma mère concluait: «Ceci est un homme, il faut un lit; ceci est une femme, il faut une chambre.» Ma mère était obstinée comme un homme aux prises avec le désert. Elle n'aimait pas les hommes mais elle défendait le désert comme un sentiment qui la rapprochait des hommes. C'était une femme sans expression et cela m'effrayait.

Chaque fois que je pense à ma mère, je vois des filles en maillot allongées au bord de la piscine du Motel. Ce motel acheté en 1950, ma mère l'avait rénové puis passé quinze ans à le payer à coups de gestes polis, de discipline et d'énergie répétée dans la chaleur des après-midi de Tucson. Mais avant l'arrivée de Lorna, tout est vague. C'est vague et bruyant comme le va-et-vient des voyageurs, des fournisseurs, de la femme de ménage.

La présence de Lorna sera toujours liée dans ma mémoire à mes premières années d'école et tout particulièrement à mon apprentissage de l'écriture et de la lecture. J'aimais lire mais je ne me souviens pas d'avoir lu autrement qu'en la présence de Lorna. Elle m'observait, vigie statique, surveillant chaque battement de mes paupières, épiant toute trace d'émoi, le moindre signe qui pouvait trahir sur mon visage une émotion. Je suivais son manège d'un œil discret mais, lorsqu'il m'arrivait de lever les yeux vers elle, je pouvais à mon tour suivre sur ses lèvres l'étrange alphabet qui semblait constituer un rêve dans son regard. Je posais alors invariablement la question: «Qu'est-ce qu'on mange?» comme si cela pouvait l'éloigner ou protéger la nature intime de ce que j'avais éprouvé pendant ma lecture.

Un jour alors que je cherchais des feuilles blanches pour dessiner, je vis tout au fond de la cuisine Lorna et ma mère assises sur la même chaise. Ma mère était sur les genoux de Lorna qui lui enserrait la taille de son bras droit. De sa main gauche, Lorna griffonnait. Leurs jambes étaient tout emmêlées et le tablier de ma mère était replié sur la cuisse de Lorna. Je demandai à Lorna ce qu'elle écrivait. Elle hésita puis allongea une phrase en disant qu'elle était incapable de lire ce que sa main avait tracé. J'allais m'exclamer, dire que... ça n'avait aucun sens lorsque je remarquai la souplesse de la main de Lorna dans les cheveux de ma mère.

Pourtant cette nuit. Très jeune, j'appris à aimer le feu du ciel, la foudre torrentielle ramifiée au-dessus de la ville comme un écoulement de la pensée dans le cerveau. Les nuits d'orage sec, je devenais tremblements, détonations, décharge totale. Puis je m'abandonnais à toutes les illuminations, ces fissures qui comme autant de blessures lignaient mon corps virtuel, me liaient à l'immensité. Et alors le corps fond comme une lueur dans l'abrégé des mots. Les yeux, l'existence plient devant ça qui s'avance en nous, certitude. Le désert boit tout. La fureur, la solitude.

Il y a dans le désert la poursuite des béances que font parfois les nuages. Parfois ils sont comme de petits plombs que le soleil envoie à l'horizon pour signifier l'avenir du lendemain. Je connais bien le plomb, le cuivre, les douilles et toutes les armes. Je connais les armes. Toute fille du désert apprend très jeune à tenir une arme et à conduire une auto. Toute fille jeune apprend que ce qui luit au soleil peut aussi blesser ou exciter à ce point le sentiment que l'ombre même s'empourpre.

CHAPITRE DEUX

L'homme long ne dort pas. Il pense à l'explosion. Il s'est allongé tout habillé. Ses souliers sont poussiéreux. Il songe à l'art, l'art du spectre énergétique. Il se lève et va vers la commode. Dans le deuxième tiroir, la petite revue aux couleurs chair et violacées est à sa place, au-dessous des dossiers blancs, orange et jade. Il prend la revue, s'allonge à nouveau après avoir replacé l'oreiller. Il tourne les pages, il regarde et attend que quelque chose se passe. «Maintenant nous sommes tous des fils de chienne.» L'explosion aura lieu. Dans le silence de la chambre, l'homme toise les sexes, leur coloration. Il ne voit pas les visages. Les visages, ombre de l'ombre, font des cernes blancs autour des sexes. Puis les cernes font un bruit d'explosion. Il ferme les yeux. La poussière tombe lentement comme en cet hiver à Princeton, la veille de ses vingt ans. L'homme long ne peut pas dormir. Pas plus que ses voisins de chambre d'ailleurs. À droite, il l'entend marcher, à gauche, il l'entend bouger ses feuilles de calcul. L'homme long connaît de *beaux* lacs bleus, la *grande* forêt pétrifiée aux arbres d'améthyste à tout jamais éternels. Il rêve d'un passé. Il neige dans l'éternel. Les spectres sont splendeurs. Maintenant que *earth and death and tongue became thy shall not.* L'homme long entend le bruit de l'explosion. Haut-le-cœur, haut-le-corps. Un dernier frisson. Il caresse son feutre mou. Il allume une cigarette.

Ici dans le désert, la peur est précise. Jamais obstacle. La peur est réelle, n'a rien d'une angoisse. Elle est nécessaire comme une journée de travail bien accomplie. Elle est localisée, familière et n'inspire aucun fantasme. Ici, il n'y a que du vent, des épines, des serpents, des lycoses, des bêtes, des squelettes: la nature même du sol.

Au Motel par contre, la peur est diffuse, télévisée comme un viol, un meurtre, un accès de folie. Elle tourmente le versant crédule du cerveau, obstrue le rêve, tuméfie le tracas de l'âme.

J'avais quinze ans et je parle de la peur car la peur on n'y pense qu'après coup. La peur précise est belle. Peut-être après tout peut-on la fantasmer comme une tache aveugle qui donne envie d'éternité, comme un moment creux, imaginaire qui laisse dans le ventre une sensation forte, un effet renouvelé de l'ardeur.

Je me souviens qu'à l'arrivée de Lorna ma mère parlait souvent de la peur. Une peur blême, disait-elle, une peur lente. Lorna semblait aimer cette peur. En parlant, en riant, en marchant, en tout, Lorna attisait la peur de ma mère, une peur qui la rendait fébrile et qui transformait sa voix. Lorsque Lorna plongeait son corps musclé dans l'eau de la piscine, ma mère criait: «Lor, je t'en prie» mais Lorna ruisselait de plus belle, savourant des yeux la peur trouble de ma mère. Puis ses bras m'emportaient avec elle et ma mère encore une fois, ma mère se penchait au-dessus de l'eau, le visage inquiet. Je voyais la forme de son corps. La forme de sa tête était au-dessus de l'eau comme une comète. Ma mère était géante et alors je faisais surface.

Un jour peut-être, je raconterai ma vie. Un jour quand je n'aurai plus quinze ans et le cœur à l'esprit qui s'émerveille. C'est tout dire quand je parle de la nuit et du désert car en cela même je traverse la légende immédiate de ma vie à l'horizon. J'ai abusé des étoiles et des écrans de vie, j'ai entamé des routes de sable, j'ai assouvi ma soif et mon instinct comme autant de mots devant l'horizon magique, seule, manœuvrant d'une manière insensée pour répondre à l'énergie qui me traversait comme une nécessité, une avalanche de l'être. J'avais quinze ans et je savais désigner les personnes et les objets. Je savais qu'un brin de menace n'était que kilomètres à franchir dans la nuit. J'appuyais sur l'accélérateur et heurt, sueur, peur, ô c'est fragile le corps quand il fait si chaud, si noir, si blême, silence immense.

La nuit! Oui, j'ai vu l'aube. Souvent. Mais la nuit, l'aube déjà rayonnait spectrale dans le spectacle du sable tourbillonnant. Je roulais. J'hurlais dans la vie, la nuit sur l'autoroute. Le jour, c'était la piscine, les filles en maillot et ma mère au bout du fil toute à son affaire du Motel ou devant le téléviseur, affairée à la peur. Lorna venait près d'elle et ma mère se laissait chérir et ma mère la choisissait. C'était quotidien et vrai, sans cérémonie entre elles sinon que mon regard venait suspendre leurs gestes et obliger ainsi leurs corps à d'étranges rituels pour compenser l'équilibre perdu ou la trajectoire amorcée des bras amoureux.

Certaines nuits, la sécheresse était sombre et cela me fascinait de penser que sombre la sécheresse était un mot, tout comme moi j'étais une fille comme un mot dans la vie. Mais je pouvais exister sans comparaison. Cela était certain, aussi certain que la soif à venir quand on ne prend pas ses précautions avant de prendre la route et que les lèvres se plissent, craquent dans le vent fort et sec.

J'étais toujours certaine de tout. Des visages, de l'heure, du ciel, des distances, de l'horizon. J'étais certaine de tout sauf des mots. La peur des mots. Peur lente. Peine à prononcer. Peine à entendre. Peine dans toutes mes veines.

Une fin d'après-midi de mai, alors que j'avais quitté la route pour examiner de plus près un vieux *saguaro* à la silhouette mi-blessée, mi-agonique et que je chantais comme à l'accoutumée — *fever, fever, forever* m'en aller —, je sentis la peur pénible. Le *saguaro* vacillait, réel et irréel. Le *saguaro*, les mots, tous mes réflexes étaient au ralenti et bientôt il n'y eut plus de jour, plus d'aube, plus de route, plus de cactus, à peine l'instinct de penser que les mots ne sont pourtant que des mots.

Dans la boîte à gants, il y avait sous le revolver un petit carnet dont je me servais pour inscrire la date des changements d'huile et autres détails se rapportant à l'entretien de l'auto. Un crayon du garage Helljoy, trombone improvisé, retenait les pages décollées. Alors j'ai écrit sur ça, j'ai écrit *ça et encore ça et plus, ça m'excitait, ça m'a pris comme ça s'peut pas d'écrire tout ça avec des explosions dans ma tête, de petits sentiers crayeux dans les canyons. Je connais l'épiderme parcheminé des grands cactus à l'agonie, tout ça, l'animal creusant sa trace.* La peur s'en va, la peur dévale.

L'horizon est courbe. Autour du grand *saguaro*, l'atmosphère tremblant. Je rentre au Motel. Je brûle le dernier feu pleine du désir du visage de ma mère et de Lorna. Ma mère est absente. Lorna regarde une émission. Folle lueur dans ma chambre et mes doigts là, c'est ça, là, *yet* vacille, m'amuse, m'*envas*.

Cette même nuit, la conscience des mots fit le tour de mon sentiment, l'enroula, le fit tourner à contresens. J'eus l'impression de mille détours, de gestes graves dans la matière. La sensation de vivre, la sensation de mourir, l'écriture comme une alternative parmi les images. Puis la réalité devint une IMAGE. Je m'endormis à l'aube, ficelée dans mes draps, *objet* de l'image.

Je connais maintenant la peur en différé. Je passe des heures devant le téléviseur. Je pense et passe près de tout ça comme une enfant longe le silence et le bruit sourd des voix qui transmettent l'inquiétude. Je connais la réalité. Je connais l'humanité si soudainement comme une ombre dans mes yeux. Elle bouge lentement, si lentement l'humanité dans ses désirs, serpent lent dans le désert, elle se cache, elle mue. Elle ne bouge plus, ce n'est que peau désertée. Mais la peau est là, semblable, creuse, tout comme vie aux pieds des *senitas* et des fouquières. La peur de la peau creuse est «fortiche» comme une petite réalité fétiche dans les beaux sentiers orange et jade. La peau fait peur aux touristes. La peau, c'est ça.

Ce même mois, ma mère fut triste et Lorna comme ma mère. Je harcelais ma mère pour qu'elle lise le *peu* que j'avais écrit. Mes fautes! Je voulais qu'elle corrige tout ça. Je laissais traîner le cahier sur le téléviseur ou sur le plancher, bien en vue. Le soir, je l'entendais raconter à Lorna quelques histoires qu'elle avait lues dans le *Time* ou le *Convention Globe*. À la fin du récit, quelqu'un mourait, s'en allait ou dévoilait un secret. J'augmentais alors le volume du téléviseur et je m'adonnais corps et âme à la toute peur puissante de la réalité.

Depuis que j'avais écrit dans le carnet d'entretien, je voyais vraiment la réalité de près. Les clients venaient du Texas, du Wisconsin, du Minnesota. Beaucoup de vieux. Quelques commis voyageurs, une fois ou deux des femmes ensemble pour qui exister semblait réellement fondé. Il m'arrivait d'écouter les conversations au bar. Les clients parlaient de sport ou d'argent. Certains appuyaient leurs dires par des chiffres, d'autres sautaient sur un mot pour en faire une phrase épicée et déclencher ainsi le rire. Les épaules s'agitaient, on offrait une cigarette au voisin, on trinquait. Puis l'ennui, les nanas et les affaires recommençaient.

Un soir, je pus enfin voir cette Angela Parkins dont ma mère parlait souvent. Elle devait avoir quarante ans. Elle était géomètre et venait ici tous les premiers mardis du mois. Elle s'assoyait au bar et discutait toujours avec deux hommes dont ma mère disait qu'ils étaient ingénieurs. Ce soir-là, je m'installai au bar, espérant surprendre une conversation qui puisse dénouer le mystère que ma mère avait créé autour d'Angela Parkins. Mais on parla en détail de structure et de perspective avec des mots dont la plupart m'étaient inconnus. Puis Angela Parkins se tourna vers ma mère et lui fit un brin de jasette en employant cette fois-ci des mots simples qui résonnèrent en moi, savoureux et colorés comme une chose intime.

La soirée se poursuivit comme à l'habitude jusqu'à ce que Angela Parkins élève la voix, hystérique, au bord de l'ivresse. Sa voix s'emporta, culbuta dans l'espace enfumé. Angela Parkins quitta le Bar avant onze heures et je me retirai à peu près à la même heure. La réalité avait un sens, mais lequel?

Le lendemain, j'avertis ma mère de mon départ pour le Nouveau-Mexique. J'avais téléphoné à Grazie, une cousine qui habitait Albuquerque et elle m'avait invitée pour quelques jours.

CHAPITRE TROIS

Les yeux de l'homme étaient fous et arrogants. Il levait la tête puis la penchait et à chaque fois c'était l'explosion dans sa tête. Il y avait le plancher, le plafond, les murs et l'explosion. Tout était en accéléré dans son corps soumis à ses pensées. Il était perdu. La poussière était là, raison froide qui retombait sur ses épaules. Il ne guérirait jamais de l'hiver, lui qui aimait tant les petits sentiers et l'odeur de la rosée. Les murs de la chambre étaient, contre toute logique, pleins de son ombre. Il essaya de se concentrer sur un poème sanscrit. Trop tard. Déjà la cendre, déjà le sang, déjà les cris, des bouches formidables, figées dans le silence de la nuit, luisaient comme des cristaux dans chacun de ses neurones. Alors l'homme long se mit à tracer des chiffres sur les murs pleins de son ombre. Puis son corps épuisé glissa contre le mur. L'ombre longue s'évanouit. L'explosion était parfaite dans le jade.

Je roulais lentement. C'était plein jour, pleine lumière, chaud et sueur. Une véritable folie de rouler ainsi en plein soleil. Une épuisante solitude que je m'infligeais comme pour retrouver ce temps d'avant l'écriture, d'avant la réalité. Je roulais et le désert était maintenant vrai, dangereux, plein de dagues, de tranchants et de venin. Je m'étais juré de ne rien boire pendant les cinq premières heures de trajet. Je voulais la chaleur et la soif entières, excessives. Je voulais mon corps fiévreux, ne rien perdre de sa faconde, de son exubérance. Je le voulais tout à la fois centré et hors cadre, superposé à l'hyperréalité du bleu, obligé en chaque cellule à prendre goût le long de la réalité des routes à toutes les formes éphémères qui traversaient mon regard. Je ne voulais d'aucun mythe. Que du vrai, de la sueur, de la soif.

Je résume la réalité dans la lenteur des kilomètres. Je résume ma vie dans la lumière aveuglante. Un jour entre Phoenix et la forêt pétrifiée, *I had a dream*, flamboyant comme une ivresse, une dérive dans l'espace *la gorge a des fêlures de fêtes des horizons zones horribles de rire, des cascades qui saccagent les âges et les cages d'yeux éperdus dans la beauté impossible des écarts et des tourments qui accablent la pensée.*

J'étais maintenant entrée dans la peur de l'indicible, dans la fureur des mots sans le vouloir j'abdiquais devant le silence. Dans le désert, on plie sans calcul avec la souplesse de l'être adonné à l'espace. L'horizon est un mirage qui oriente le corps assoiffé.

Je roulais, pensée fiévreuse, qui va vers Albuquerque et Grazie. À Grazie, je parlerais d'Angela Parkins, je lui parlerais d'une femme connue dans la nuit d'un mardi. Je frissonnerais, je balbutierais. Je parlerais d'Angela Parkins comme d'un songe dans la forêt pétrifiée. Grazie comprendrait, elle me dirait: «Parle, parle donc. Parle-moi de tout cela. Parle-moi d'Angela Parkins, de tous ses secrets gueulés dans le Bar du Motel. Parle-moi d'elles et d'Angela, de leurs gestes, de leurs rires dévastateurs, de leurs regards et de leurs sourires croisés, de la peur qui alarme les pensées. Parle-moi, volatile et fébrile, sois serpent et lenteur dans la beauté, sois feu et rigueur. *Light me* pour que le désert s'abîme en nous et que renaissent les ultrasons de notre enfance. *Light me because I might* un jour.»

Grazie était mon aînée de deux mois. Nous étions des «sœurs éloignées», c'est-à-dire des filles que leurs mères avaient nommées ainsi un soir alors que toutes deux enceintes s'étaient séduites et partagées comme un espoir de vingt-quatre heures. Nous étions des filles espérées dans la nuit de nos mères amantes. Je connais la réalité. Ma mère m'avait parlé d'un voyage à Dante's View, m'avait raconté promenade et point de vue, le plus saisissant à Dante's View, les plus beaux à Badwater et à Artist Drive. Puis elle avait ajouté: «Mélanie, mais la nuit.»

Je conduis lentement vers la certitude simple. Grazie m'attend à Albuquerque. À la jonction de la ⑩ et de la ㉕ , il y a des dizaines de motos, des gars qui fument en regardant le ciel. Il y a deux filles qui se parlent. L'une des filles m'envoie un *peace and love* et l'autre, à peine décalée dans l'espace, me fait un *fuck* violent du doigt, puis du coude. J'appuie sur l'accélérateur. Je connais la réalité. La peur, ça ne fait rien quand on accélère; la peur disparaît comme un point sombre dans le rétroviseur.

La route était un décalage horaire perdu dans l'air tremblant de l'horizon. J'avais quinze ans et devant moi la réalité pour m'aider à contourner l'existence. Et puis, il y avait la liberté! Là où j'ai grandi, la liberté se porte côté cœur comme une arme. Elle peut tout autant servir à surmonter la peur et la nostalgie qu'à faire du bruit dans les reins, les mâchoires et les vagins. Là où j'ai grandi, les femmes s'appliquaient de la liberté sur les joues: ça sentait l'encens, la peau lisse, la pharmacie pendant que les hommes tiraient un bon coup de liberté sur tout ce qui bougeait.

J'ai perdu le désert. J'ai perdu le désert dans la nuit de l'écriture. Il y a toujours une première fois, une première nuit qui brouille les passions, qui confond notre sens de l'orientation. Une première fois où il faut convenir que les mots peuvent réduire la réalité jusqu'en sa plus petite unité: l'évidence. Maintenant il faut que l'évidence ranime le désert et qu'à nouveau la couleur soit donnée aux troglodytes, aux serpents corail, aux lynx roux. Il faut qu'à nouveau le lièvre antilope puisse faire alterner du roux au blanc la couleur de ses flancs, il faut que les mystérieuses pierres qui marchent dans la vallée de la Mort laissent dans l'argile la trace de leur passage. Il faut que l'évidence revienne comme un désir du désert et qu'à nouveau les images m'aident à faire le vide comme si elles étaient de toutes petites ventouses installées dans mon cerveau.

Il y a des mémoires pour creuser les mots sans souiller les tombes. Je ne peux tutoyer personne. Il n'y a pas d'altérité, seulement une alternance dans l'apparence. J'ai besoin de souplesse et de tension. Il ne faut pas qu'Albuquerque explose dans ma tête.

Pourquoi je pense comme ça des mots, pourquoi en entrant dans Albuquerque le fou rire, la fatigue du fou rire, la fièvre en entrant dans le beau jeu soudain de la réalité?

Grazie se fit tendre et compagne. Elle se passionna,

moqueuse et curieuse, pour mon tatouage sur l'épaule gauche, en suivit le contour avec ses doigts doux, dit qu'un jour elle se ferait dessiner une licorne sur une fesse. Puis, nous avons préparé des *sand witches* comme dans notre enfance et j'ai bu deux litres d'eau. «Tu vas bien? Oui, demain il y a une danse. Ma robe et puis regarde, tu verras, c'est magnifique.» Il y a des phrases entre nous. Qui a dit ça? «Je suis fatiguée, demain. Puis nous irons là. C'est merveilleux. C'était beau. Je me suis blessée à l'index. C'est comme tomber dans un piège ou dans un mot bleu. J'ai placé une photo près du grand miroir. Ça ressemble tellement. Dans la pénombre un bout de bois tordu m'a fait penser. Ah oui! Pourquoi faire? On est bien ici, ensemble.»

Je pense à Lorna qui ne prend pas le temps de respirer entre ses phrases. Lorna n'est intelligible qu'entre les bras de ma mère.

«Fais-moi un peu de place dans le lit. Tasse-toi. Bon, j'allume et je lis toute la nuit. Grazie, tu sais que nos mères se sont déjà aimées. Maintenant c'est l'heure de dormir. Si tu veux veiller, je te je ne je oui alors dors sinon... Quoi! Oui, c'est doux. Tu prends tout l'oreiller. C'est mon côté. Grazie... une fois seulement, c'est tellement doux.»

La vie est comme une sensation à mille lieux. Cette nuit, je dormirai à côté du désert de Grazie et de son sommeil plein d'encens.

CHAPITRE QUATRE

Quelque part, l'homme long dans la nuit de son évanouissement retrouva ses esprits. C'était le silence de la nuit. Personne ne bougeait, ni dans la chambre de gauche, ni à droite. L'homme long se leva difficilement comme s'il avait bu toute la nuit. Il s'appuya contre le mur puis se pencha et ramassa son chapeau qui traînait par terre. Après tout, pensait-il, *demain* le ciel sera bleu. Mais l'aurore était partout explosée dans son cerveau. Sur les murs, les chiffres suintaient et venaient se confondre aux mots qui le suivaient, qui le suivaient partout dans la petite chambre. L'homme long qui avait inventé l'explosion comme un espoir de beauté savait qu'il ne pourrait pas survivre à la beauté des équations. Il ne pourrait pas survivre à son image. L'homme long se sentit fragile, plein d'une solitude amère. Il se vit brisé, miroir, fraction, incapable de chiffrer sa blessure. Alors il sombra impuissant dans la demande. Les paupières closes, les mains jointes, il pria longuement, insensible aux débris qui retombaient sur ses épaules.

Ce matin, Grazie et sa mère sont parties faire des emplettes. Je suis là, immobile dans la chambre et je regarde ce qui se passe dans la rue. Rien. Seulement la réalité. Ô m'absenter! Un jour je sortirai de la réalité, de son scandale. La beauté est avant la réalité.

Aujourd'hui je reprendrai la route du désert et retrouverai ma mère et Lorna ainsi que le murmure des filles en maillot au bord de la piscine. La réalité sera réelle comme un cache-sexe dans l'éclairage des juke-boxes, comme un tueur à gages devant son manuel d'instructions. Le cerveau est fragile, il faut beaucoup de superstitions pour se le rallier et ne rien abîmer autour. Il n'y a plus de désert. Grazie n'aura jamais quinze ans.

Au retour, je roulai vite, *fast so fast*. Pourquoi flâner en imaginant des baisers, des enlacements, en pensant que la lumière est si belle parmi les *ocotillos* et les *mariposas*? Ça défile les motels, les roulottes, les cabanes en tôle, les pylônes, les carcasses d'autos, les amoncellements de pneus. Le désert c'est ça. Je me suis acheté une caisse de Coke, je bois sans arrêt. J'ai soif. Ça me donne soif la réalité.

J'avais quinze ans et je regardais la réalité empiéter sur les êtres comme une distorsion tragique de la beauté. L'aura tremblante de l'humanité planait dans la lumière crue.

La réalité défilait, je plongeais dans l'humanité.

C'était un regard autour des roulottes et des snack-bars. La réalité était une femme en T-shirt, immense dans ses seins, décuplée avec des enfants calqués sur ses reins, sur ses cuisses. La réalité défilait longeant le sort et les destins. C'était un corps à moitié enfoui sous le capot d'une auto, c'était un jean délavé, une paire de bottes. C'était en alternance la réalité puis le désert avec des longueurs dans la pensée. Des parenthèses à l'approche des villes. Oui, j'étais fascinée par la réalité et plus précisément par sa dimension impossible. La réalité n'est toujours que le possible accompli et c'est en quoi elle fascine comme un désastre ou offense le désir qui voudrait que tout existe en sa dimension. Je n'étais qu'une forme désirante dans le contour de l'aura qui entourait l'humanité. La réalité est un devenir espacé dans la mémoire. Il faut l'y surprendre comme une forme essentielle.

Il me fallait un corps devant l'impensable et ce corps je le produirais, omniprésente à l'aube, les nuits d'orage écartant la foudre. Ce corps, je le filtrerais de l'ignorance, du savoir et de l'impensable qui l'accablaient. Ce corps serait une équation de vie à même l'impossible réalité.

Je roulais, parfaite au bord de la solitude. Je ne désirais que l'horizon, les cactus et un peu de lumière comme naturellement le jour.

Il faisait froid dans la nuit du désert et partout où la chaleur rendait les êtres vivants, je tremblais de rendre la réalité comme un épisode en m'approchant des êtres.

CHAPITRE CINQ

L'homme long était sous la douche. Il aimait l'eau sur sa tête. Il aimait que l'eau lui coule dessus. Il aimait que l'eau soit sans comparaison sur sa peau comme un supplice de l'esprit et alors tout son corps s'abandonnait. Il chantait et l'eau entrait dans sa bouche. L'homme long aurait voulu son corps musclé. Il aurait aimé toucher cet autre corps, caresser le torse puissant, les cuisses, les fesses dures. Il se serait senti allégé du fardeau des chiffres et son dos courbé se fût redressé prêt à tous les combats. Oui, combattre corps à corps avec d'autres hommes eût été enivrant. L'homme long imaginait l'effort des muscles, le battement du cœur, les veines gonflées, la sueur de la peur qui n'aurait pas été comme sa transpiration pendant les heures de calcul. Il aurait aimé l'action et entièrement le corps de ses ennemis. L'homme long avait oublié l'explosion. Il était entré tout vif dans l'instinct du corps et tout son être glissait silencieusement dans les muscles de celui qu'il aurait aimé être. L'homme long s'approcha du miroir, vit ses joues creuses et la barbe d'un mauvais jour. Il s'habilla avec empressement. Dehors il faisait peut-être jour mais l'homme long ne voulait pas y penser. Les rideaux étaient fermés et seule la lumière de l'explosion éclairait ses gestes. L'homme long ne vit pas la grande enveloppe blanche que l'on avait glissée sous la porte.

Je revoyais Angela Parkins telle que la première et unique fois que je l'avais vue, sa bouche proférant des menaces à l'endroit de l'humanité comme si elle avait eu le pouvoir de les réaliser. Que voyait-elle, Angela Parkins, quand elle regardait dans son théodolite? Comment supportait-elle la chaleur et la soif, comment formait-elle ses lettres, ses chiffres? Comment Angela Parkins faisait-elle l'amour quand elle n'était pas au bord de l'ivresse?

Bientôt, je serais de retour à la maison et rien ne serait changé dans la réalité. Le soir, je regarderais la peur à la télévision. Le jour, j'observerais les filles en maillot, la nuit, j'irais écouter les conversations au bar. Le jour, ma mère serait une femme, le jour et la nuit, Lorna serait avec ma mère et je chérirais leur présence ailée. Parfois, je prendrais la Meteor. Tout ce temps, mon regard serait ailleurs tourné vers l'impensable et je serais attentive à tout. Je ne m'évanouirais pas devant la réalité. Je ne céderais en rien devant l'aura tragique. Un jour, je connaîtrais le moment parfait de l'exaltation et de l'indifférence en synchronie. Un jour, je connaîtrais le silence et le secret qui se prolonge dans les êtres afin que naissent d'autres civilisations. La beauté était avant la réalité et la réalité était dans l'écriture, un jour.

CHAPITRE SIX

L'homme long savait que le jour était là derrière les rideaux. Il ne se sentait pas encore prêt pour la lumière du jour. Il alluma une cigarette et prit le premier livre qui lui tomba sous la main. Il lisait comme avant, calmement. Ce calme semblait vouloir s'étendre partout en lui mais, au fur et à mesure qu'il le sentait s'emparer de tous ses membres, il éprouvait en contrepartie une excitation froide, mentale qui rendait intolérable chaque nerf dans son corps calme. Sa respiration était lente. Tout son être était agi dans les limites du possible. L'homme long déposa le volume au pied du lit. Il aperçut l'enveloppe. Il se leva, entrouvrit les rideaux, puis fixa la réalité du petit matin. Sur la pelouse du motel, une femme était penchée au-dessus d'un arrosoir. L'eau jaillissait pleine d'éclats. L'homme long se pencha et ramassa l'enveloppe.

J'avais roulé toute la nuit. Tucson n'était qu'à quelques kilomètres mais je n'étais pas encore prête à retrouver la peur panique.

Je m'arrêterais à ce motel tenu par une amie de ma mère. Je dirais ma fatigue et mon besoin de dormir. Elle m'offrirait une chambre. Je retournerais à la Meteor pour prendre mon sac. Dans la boîte à gants le revolver serait chaud. Je prendrais mon cahier et le stylo. Tout l'avant-midi, j'écrirais. Le climatiseur serait bruyant. Tout autour de moi, la réalité: le rideau transparent, la couleur des murs, une aquarelle superflue, un téléviseur, mon corps immobile devant le miroir. J'aurais l'impression d'une ultime compréhension de la nuit, du désert et des hasards intimes qui se succèdent en nous comme une loi de la réalité. Ma main serait lente. L'humanité ne pourrait pas se répéter. J'existerais alerte dans le questionnement.

CHAPITRE SEPT

L'homme long regarde en détail chaque photo. Maintenant, il n'y a plus de doute, l'explosion a eu lieu et elle a parfaitement réussi. Une photo est une preuve éclatante. La réalité n'est plus dans la tête de l'homme long. La réalité est sur la photo. L'homme long est libre. Il n'y a plus d'explosion dans sa tête. C'est rien! C'est rien! Tout est dans la photo. L'homme long épingle au mur chacune des photos. Il recule de quelques pas, se rapproche. Il observe l'explosion. Il allume. Il éteint. Il ouvre et referme les rideaux. Il cherche un bon éclairage pour l'explosion. Puis, c'est comme si soudain le noir et le blanc des photos envahissaient la chambre. L'homme long regarde par la fenêtre. Dehors, la pelouse est verte. Il y a des filles en maillot autour de la piscine. L'homme long allume une cigarette. Toute la chambre est solarisée.

Tout est si réel autour de la piscine. Je suis entrée
comme un personnage dans la vie de mes quinze ans. À
l'improviste, sans me douter de rien. Tout autour de la piscine, la lumière est vive. Elle contourne les bras, les seins,
les cuisses, les dos, s'engouffre dans les yeux. Le regard
fond.

Il y a une jeune femme qui prend des photos de ses
deux amies. Elles posent. Elles sourient mais leur sourire
s'efface, blanchi par la lumière. Il y a toujours de la musique au bord de la piscine. La lumière est crue. L'éternité
recommence à chaque instant. Elles conversent en riant,
des paroles sans conséquence qu'elle s'échangent dans la
saveur des cocktails. Pour le plaisir de la langue. Un
homme vient s'asseoir près d'elles. Il entame la conversation en français. L'homme est mince. Il porte une serviette
noir et blanc autour de ses hanches. Je ne comprends
pas ce qu'il dit. Elles rient. Il se lève et se dirige vers le bar.
La lumière est vive. Il revient avec un whisky. Il prononce
des phrases courtes. Il parle avec du silence entre ses phrases. Il n'est pas de la région. Il n'est pas français. J'ai soif.
Je tourne la tête en direction du bar. Quelqu'un plonge
dans la piscine. L'homme ruisselant passe devant moi. Il
allonge son corps sur la serviette. La lumière est crue. Le
temps s'étiole. Les filles remuent leurs jambes dans l'eau.
Je plonge. La réalité est un désir espacé dans la mémoire.
Les motels sont tous les mêmes. Je suis dans la réalité

jusqu'au cou.

Je nagerai encore un peu papillon, dauphin, ferai grenouille et chien puis j'irai prendre ma douche à l'heure où les touristes partiront pour une courte randonnée dans le désert, à cette heure où tout est si beau. Quand ils reviendront, je serai au bar et la propriétaire pour se rassurer dira que j'ai bien changé «depuis le temps», que je dois certainement avoir dix-neuf ans maintenant. Puis j'assisterai à la procession des clients qui viendront prendre place autour des tables ou s'accouder au bar, les yeux encore éblouis de mauve et d'orange.

CHAPITRE HUIT

Tout en nouant sa cravate, l'homme long récite des poèmes sanscrits. L'explosion est loin. Les photos traînent parmi les équations. Il se sent léger, enfin prêt à rencontrer les autorités. Une dernière nuit dans cet endroit puis il reprendrait sa fière allure, son charme. Il savait argumenter et convaincre, il serait impeccable. L'homme long vit son corps disgracieux dans la glace. Il mit son veston et se dirigea vers le Bar.

Le Bar commence à se remplir. C'est un jeudi soir. Beaucoup de touristes et d'accents. Quelques habitués qui viennent directement s'asseoir sur les tabourets en demi-cercle autour du comptoir. Je connais tout ça.

Le désert dénoue toutes les intrigues y compris celle qui derrière les yeux sollicite à l'horizon l'humanité invisible. Dans le désert, on ne survit pas sans ses quinze ans. Il faut toujours être prête à tout, imaginer des cascades, des torrents, la pluie, arrêter le soleil et inverser les probabilités dans le désir. Ici, dans le Bar du *Red Arrow Motel*, le désert n'existe pas vraiment. Seule la soif qui disperse les désirs, petits débris dans l'âme. J'ai grandi dans le désert et je n'ai de mérite à l'aimer qu'en la solitude qui me préserve de l'immonde.

L'homme à l'accent vient d'entrer. Il fait un petit signe de la tête en direction de la table où sont assises les femmes de la piscine. Je commande une bière. La propriétaire répète comme pour elle-même que je dois sans doute avoir dix-neuf ans maintenant. Elle salue les nouveaux arrivants d'un air qui tout à la fois accueille et discipline. La musique est trop forte. Quelques couples dansent. Tauromachie des corps souples et des peaux bronzées. Au fond de la salle, l'homme mince est appuyé sur le mur et il fume.

L'aube est un principe qui exacerbe l'énergie. Je veux comprendre jusqu'à l'excès mon désir de l'aube, mon besoin de l'aube. Je demande une autre bière. Quelqu'un me touche à l'épaule. Angela Parkins est là, alerte, vive, crue et je suis si lente à comprendre combien sa présence m'exalte. Elle dit une banalité puis circule entre les tables. La musique est trop forte. Les trois femmes ont trouvé des partenaires. L'homme de la piscine est maintenant assis à une table avec deux hommes. La musique est trop forte. Rien n'est sensuel. Les corps s'allongent et font des ombres comme des cheveux dans le visage des filles, disposent de leur sourire basané. Tout est sensuel. Angela Parkins regarde dans ma direction, dessine dans l'air un mouvement circulaire avec sa main, oui comme si elle me faisait signe, puis elle pointe du doigt en direction de la piste de danse. La musique est trop forte. La musique est trop douce. Le corps d'Angela Parkins est fanatique, rempli d'urgence. Il bondit comme un animal fougueux, capricieux, voltige et plane éperdument, éperdue Angela Parkins. Il y a des yeux posés sur chacun de nos mouvements, de nos regards. La beauté est suspendue, la beauté qui précède la réalité, Angela Parkins chante passionnément, moitié *lipsing*, moitié *live*, la bouche arrondie par des sons éclatés. Ses mains virevoltent au-dessus de nos têtes. La paume de nos mains, parfois sa main glisse sur mes hanches, parfois, nos doigts acrobates et aériens se saisissent comme pour tourner le sens des sons au-dessus de nos têtes, tout autour de nous, parfois son regard, sa joue.

Je ne connais pas vraiment Angela Parkins et voici pourtant nos corps rapprochés un instant, puis distants, lents et longs dans la distance de l'Amérique. Nous sommes inséparables et distantes en pleine éternité. Nous sommes le désert et l'évidence au coucher des ombres. Peut-être la nuit et la couleur de l'aube. Les femmes se sont rapprochées de nous. Elles ont l'air de s'amuser. La musique est trop forte. Angela Parkins m'offre à boire. «*The same.*» Puis je cesse d'exister. Elle parle, parle, part vers je ne sais où, elle dit que ça recommence parole, sentiers, papillons et qu'elle aime ça la lenteur obligée des mots, elle dit que dans la détresse tout est envahi par le son des mots et qu'alors tout devient impossible à comprendre, elle dit que ça explose dans sa tête et que tout est à recommencer comme un revers, un lob dans l'espace du cerveau, elle répète le cerveau est fragile mais les yeux, mais les yeux, Mélanie, elle dit qu'il ne faut pas renoncer, que rien n'est impossible si la mémoire accomplit dans l'improbable la certitude qui en soi veille à l'horizon à la beauté, elle parle de l'attachement que nous avons pour certains mots et que ceux-ci sont comme de petites morts lentes dans la réalité concise.

Il est minuit trente et le Bar est encore plein de clients. La musique s'empare de tout. Tout est fluide et lent dans les bras d'Angela Parkins. Le temps me manque pour comprendre. Il n'y a plus de temps. Le temps est entré en nous avec minutie comme un scalpel, le temps nous oblige à la réalité. Le temps s'est glissé entre nos jambes. Chaque muscle, chaque nerf, chaque cellule tient lieu de musique dans nos corps, absolument. Puis le corps d'Angela Parkins remue lentement. Tout son corps est attiré vers le bas. Son corps est lourd entre mes bras. Mes bras sont lourds du corps d'Angela Parkins. Il n'y a plus de musique. La sueur d'Angela Parkins contre ma tempe. La sueur sur ma main. Angela, le silence est cru. Angela! Un tout petit dessin sur la tempe, un tout petit trou, ocelle. Angela, nous dansons, *yes?* Angela Parkins n'a plus de hanches, plus d'épaules et de nuque. Elle se dissipe. Les yeux d'Angela, vite les yeux! Il n'y a plus d'équilibre entre nous. Tout mon corps est devant le désastre. Plus un son. L'agitation tout autour comme dans un film muet. Au fond de la salle, il y a le regard impassible de l'homme long. Le désert est grand. Angela Parkins est allongée, là, exposée à tous les regards. Angela se dissipe dans le noir et le blanc de la réalité. Que s'est-il passé? C'était pourtant un homme de génie. *Of course Mélanie is* night teen.

La réalité, l'aube. La fureur dans l'aube et les galaxies. Les policiers, la craie autour du corps d'Angela Parkins. Les clients n'ont rien vu. Je n'ai rien vu. Le désert est indescriptible. Le regard fond.

Puis ce fut le mauve de l'aube, le désert et la route comme un profil sanglant. Il y a des mémoires pour creuser les mots sans souiller les tombes. Je ne peux tutoyer personne.

UN LIVRE À TRADUIRE

Elle ne saura jamais pourquoi tout son être s'est enfoncé dans un livre, pourquoi pendant deux ans elle s'est brisée, s'est allongée dans les pages de ce livre écrit par une femme dont elle ne sait rien sinon la preuve présumée d'une existence recluse dans le temps et l'espace franchi d'un seul livre.

En somme ce livre était *innocent*. Il reposait, mince tranche de papier entre les appuis-livres. C'était un matin de décembre, d'une blancheur spectrale qui érodait les objets. Elle pensait lenteur en soustrayant du regard le livre à son équilibre. Et il basculait soulevant dans le ralenti du silence le lancinant désir qui ne la quittait pas. À l'horizontale, le livre ressemblait à une pierre tombale: un nom, un titre et l'éclat de la couverture.

L'univers était un risque. Elle était une présence minimale, un espace embué devant la fenêtre. Un jalon peut-être entre ce livre et son devenir dans une autre langue. C'était précisément à voir.

Autour d'elle, tout était bruits de l'instant, images à conquérir. Il eût fallu dire d'un souffle. Il faudra exceptionnellement beaucoup d'illusions. Comme autant d'apparences, le recours à certaines données sensorielles qu'elle ne peut faire siennes encore bien qu'éblouie par la nature du risque.

Elle aurait à nommer, à converser longuement de l'intérieur jusqu'à ce que perplexe, jusqu'à ce que la petite tentation de traduire l'émeuve à ce point qu'un mot s'étire empruntant la forme d'un animal ou la couleur au loin, mauve et, encore dans son désir, toujours à documenter de l'horizon l'entourant.

Il était possible que tout cela ne puisse advenir que si, par le détail, elle entrait dans l'univers de la narratrice dont le nom, Mélanie, lui donnait à entrevoir un profil sur la nuit, découpé.

En ce début de décembre alors que tombe la première neige, Maude Laures collige tout à la fois les indices de son désir et ses notes de lecture qui comme autant d'éclats de voix et de jours sans pluie entourent la piscine du Motel. Elle plonge, est-ce erreur ou stratégie, écartant du revers de la main la première difficulté, celle dont elle ne parvient pas à décider si elle existe parce que prématurée ou si elle est le résultat de ses pensées disparates. «Ce n'est pas vrai» revient sans cesse, revient comme une intrusion dans ses notes, annule tous ses efforts de concentration.«Ce n'est pas vrai» revient, la refoule dans son univers, la retient de ce désir fou qui s'éternise, peur panique de se substituer à l'auteure de ce livre. Par un retour incalculable des mots, elle savait ne plus pouvoir être en mesure de se soustraire à ce qui, bien bas sous la langue, voulait.

Il lui faudrait aussi souligner ailleurs que là où le sentiment l'avait surprise, de l'étrange histoire arracher le sens et s'en tenir à l'acte ininterrompu de l'interprétation. Le pourrait-elle sans confondre l'horizon et le désert, ces espaces venus, par effraction, se greffer sur son monde urbain et sur les figures qui, en elle, ne toléraient pas de désastre? Pourtant, elle acquiesçait avec un certain soulagement à ce livre qui sans préavis avait sapé son équilibre, l'obligeait à répartir son énergie de manière à inclure, optimale, l'alternative en chaque mot, terrée.

En ce début de décembre, son désir est grand, résulté de l'approche et de la possibilité croisées de quelques transformations.

Ce matin le ciel était bleu. Elle pouvait croire au dérèglement des sens comme à une activité mentale. Elle avait beau jeu.

Elle aurait voulu des choses luxuriantes, un dialogue peut-être afin d'illustrer cette souplesse des sens que, dans le temps fort de l'expérience, elle ressentait comme une invite au délire. Un dialogue pour que soit rectifiée sa méfiance à l'égard de tout personnage, sa fascination de l'aube et surtout pour nettoyer la peur de sa composition affective. Pour le reste, c'était énormément une idée. Une question de singularité pouvant affranchir les mots de leur saturation. Tout avait pourtant été possible dans la langue de l'auteure, mais dans la sienne, il fallait qu'elle s'arme de patience. Inépuisablement trouver la faille, le petit endroit où le sens appelle quelques audaces. La beauté était à ce prix comme une espérée lumière. Maude Laures s'était laissé séduire, *ravaler* par sa lecture. Il n'est pas toujours possible de rêver sans avoir à donner suite aux images.

S'astreindre à comprendre, ne rien négliger malgré le flot dévergondé des mots. Susciter de l'événement. Oui, un dialogue. Obliger Mélanie à la conversation. L'installer au bord de la piscine et la faire parler. Mettre de la couleur dans ses cheveux, des traits sur son visage. Oui, un dialogue somptueux, une dépense déraisonnable de mots et d'expressions, une suite qui, construite autour d'une idée, dériverait à ce point que Maude Laures aurait le temps de circuler paisiblement autour du Motel, de pénétrer dans la chambre de la mère et de Lorna. Un dialogue qui lui permettrait, Mélanie emportée par les mots, de voyager à ses côtés dans la Meteor, d'ouvrir la boîte à gants, de toucher le revolver, de feuilleter le carnet d'entretien.

Tout n'est encore qu'intention de *faire passer*. Perspective répétée de l'aller-retour. Recours à l'original, néanmoins la démarche interposée, la dérive comme un choc culturel, une émotion grave semée de miroirs et de mirages.

La nuit, Maude Laures rêvait de *son livre* et le jour, avant même de s'adonner aux principes de l'audace et de la prudence, elle pensait à Laure Angstelle. Cela la rassurait de savoir qu'elle était libre de tout (imaginer) à son sujet. Certes, elle avait fait quelques recherches mais aucune n'avait donné de résultat. Laure Angstelle était l'auteure d'un seul livre publié dans une petite ville de l'Arizona. Elle pouvait l'imaginer jeune ou âgée, libre et fière, ayant peut-être connu un grand amour ou un désastre, ayant été géomètre ou physicienne, vivant encore isolée quelque part entre Globe et Gila. Ou morte, telle était l'autre perspective.

Des images qui permettent de distribuer le consentement. Une belle machine souple pouvant inverser le rire ou
le désespoir.

Dans son sommeil, Maude Laures se range du côté de
la perception, attachée cependant par quelques cordes sensibles à l'*expression* qu'elle définit comme étant une subtantielle proposition capable de faire pencher la balance.
Elle sait que c'est dans l'approximation que les mots
d'abord. Puis au beau milieu des images, elle voit bien que
c'est *justement perçu* que le rapport s'installe, assimile le
mot promu ou l'image survécue.

Décembre n'est qu'un aspect du risque. Un mois dispersé dans *le Désert mauve*. Un mois fragile explosé dans
la tête de Maude Laures.

Le moindre énoncé barrait les mâchoires. Alors elle cherchait l'envers des mots, avec un peu d'affolement, la doublure, lorsque la scène lui paraissait trop cruelle ou fausse. Ainsi, elle pouvait mettre en parallèle, bien que brièvement, la petite sensation qui donne lieu à l'émotion et le sens qui porte à croire. Indirectement *faire valoir le passage* dans sa langue, accélérer le sentiment, avec des effets de rutilance, le glissement.

Midi, la neige tombe encore. Redoutant ce qui la nuit longe la forme des grands *saguaros* veilleurs, Maude Laures traduit par «finalement la tempête vint aux yeux soustraire la réalité». Puis, elle s'assoupit «dans la Meteor, entre deux chansons».

Le monde de Laure Angstelle prenait place en elle et cela bien différemment de ce qu'elle avait ressenti au tout début alors que durant ses premières lectures, elle avait éprouvé le sentiment diffus d'une réciprocité. Maintenant le monde de Laure Angstelle avait en elle la portée d'une musique toute en durée qui la laissait devant sa table de travail comme un *bloc de concentration*; les yeux astreints au moindre détail pendant qu'au loin les images les plus intimes vacillaient, Maude Laures s'adaptait à toutes les intrigues pouvant, état d'alerte, disposer de sa ferveur. . . .
. . . . et

de sa froideur. Car à l'improviste «tromper la langue» lui venait comme une réplique nécessaire afin que soit reconstituée «la fiction», le contour tremblé de ses effets. La froideur de Maude Laures était un incommensurable désert blanc sillonné d'éclairs mauves. Il fallait beaucoup de rapidité dans le processus pour que la froideur ne soit point sécheresse, pour que Maude Laures abrite cet immense espace à découvert, recouvre chaque mot d'un autre mot sans que le premier ne sombre dans l'oubli. Probables modulations. De l'oubli, de la réplique, recouvre la raison.

Le temps qui passait était désormais un *temps de res-tauration*, un ensemble qui, tel un arrangement floral agencé par la pensée capable des gestes les plus mentale-ment précis, s'expose à ce que soit reconstituée son inten-tionnalité. Maude Laures se sentit liée par une telle appro-che et, un matin de neige abondante, elle décida de l'exis-tence parmi les scènes et les symptômes certains qui, dans la langue de Laure Angstelle, l'avaient séduite.

LIEUX ET OBJETS

LE MOTEL

Lorsqu'on arrive par la route de Phoenix, c'est le premier motel sur la gauche avec un toit métallique qui aveugle un instant et un néon MOTEL *Mauve* qui fait penser à un oiseau sur le point de s'envoler. Au moment de tourner sur la gauche, une petite élévation permet de constater que le motel est construit en forme de ⊓, avec une piscine au centre du rectangle et un stationnement qui, sous la ligne du bas, donne sur la route. Le Bar se trouve entre la piscine et le stationnement. On y accède par un endroit ou l'autre. Le Bar est peint en mauve et contraste avec la blancheur du bâtiment. Le néon a été installé sur son toit.

Six autos sont garées dans le stationnement autour desquelles un garçonnet poursuit un garçon pendant qu'un autre, habillé en shérif, dégaine. Une des autos est occupée par un homme et une femme. L'homme est au volant, la femme s'apprête à refermer la portière de son côté, échange quelques paroles avec un autre homme, celui-là qui se dirige vers le bureau, une serviette à la main. Le bureau est à la droite du stationnement. À l'entrée, deux figuiers de Barbarie et un agave forment un petit espace vert. Le terrain de stationnement n'est pas goudronné. Il y a une mince couche de poussière sur les cactus.

Kathy Kerouac, propriétaire, est au téléphone, le combiné entre l'épaule et l'oreille, les mains occupées à chercher dans un fichier. Il y a une odeur de savon. Tout au fond du corridor qui mène aux chambres de l'aile droite, une femme de chambre déplace son chariot.

Kathy Kerouac raccroche, sourit et tend machinalement une fiche à remplir, reprend fiche et carte de crédit puis après quelques gestes rapides, la clé un instant en suspens au-dessus du comptoir, se penche légèrement, pointe du doigt en direction de la chambre, de la piscine en déplaçant son index en angle de soixante degrés.

Le corridor est sombre. Sur la première porte à droite, un écriteau indique PRIVÉ. Un peu plus loin à gauche, l'accès intérieur au Bar, puis la piscine derrière un mur de verre. Au bout du corridor, la femme de ménage prononce un timide *Buenos Dias*. La sortie de secours est ouverte. Au fond, dans la lumière, un homme décharge des caisses de papier hygiénique. Il porte une casquette. Ses bras sont musclés. La portière du camion est entrouverte et laisse passer un air de blues.

La chambre est grande. Les rideaux sont tirés. La fenêtre donne sur un espace en terre battue où une adolescente, appuyée sur un baril rouillé, fume un petit cigare.

LA PISCINE

Certaines chambres donnent sur la piscine. Il suffit de pousser la porte coulissante et c'est immédiatement, blanchie par la lumière, une atmosphère torride, un monde en disparition, brièvement fossile, un sentiment d'hyperréalité traversé par la sensation du sens vacillé. Ici et là quelques mouches à la surface de l'eau, au fond de l'eau, des pétales de magnolia. Tout autour de la piscine: des chaises longues, deux parasols ouverts, une distributrice de cigarettes, une autre pour la glace. La piscine est un endroit qui, occupé ou déserté, incite à la nostalgie, ce sentiment que parfois on éprouve lorsque les choses sont désolées et que la beauté gagne infailliblement le désir comme s'il était question de vivre un moment précieux.

Chaque objet reflète une lumière crue, une évidence de lumière qui épuise le regard. Aussi la plupart des personnes qui utilisent la piscine ont-elles tôt fait de se transformer en statues de sel, figées dans le temps, les yeux fermés, la tête basculée dans l'éternité, les membres lourds donnant autour du corps l'impression d'une espèce animale.

Une jeune femme se tient à mi-corps dans l'eau, sans bouger, le regard absent. Elle lève parfois la tête et ses paupières, et son regard, pourrait-on penser, implore quelque divinité. Assis à l'une des tables qui donnent sur le Bar, un homme lit un journal. Ses jambes sont croisées, le poil sur sa poitrine encore lissé par le mouvement vertical du corps à la sortie de l'eau.

Quelques tuiles sont mouillées et l'éclat du rose alterne avec l'éclat métallique des distributrices, la rampe chromée de l'escalier. Un boyau d'arrosage serpente le long des chaises, disparaît sous les feuilles d'un agave en fleurs. L'homme qui lit déplace légèrement sa chaise et le son mixé du métal et de la tuile écorche l'avant-midi discret. La jeune femme fait quelques pas dans l'eau. Ses épaules, à fleur d'eau, sont comme deux récifs autour du collier couleur jade qu'elle porte.

L'atmosphère est au repos jusqu'à ce que Lorna Myher, soudain présence parmi les présences, lance sa serviette sur une chaise, s'envole au-dessus de l'eau, beau plongeon, à peine quelques gouttes d'eau qui forment un instant un prisme dans les yeux de la jeune femme. Alors, comme s'il pouvait être la cause de cet arc-en-ciel, elle tourne *légèrement* la tête du côté de l'homme qui, à ce moment précis, allonge un bras vers le sol pour y déposer les pages froissées du *Convention Globe*.

La jeune femme est sortie de l'eau. La lumière croise un instant le jade. Le corps musclé de Lorna Myher sillonne silencieusement la piscine.

L'AUTO

Éclat au loin dont on ne peut évaluer la distance, telle une ossature, un squelette poli au milieu du désert, la chose capte toute la chaleur et l'attention, attire et intrigue car dans le désert *une chose* est une présence soupçonnée de l'humain.

De près, l'auto est poussiéreuse. Sa carrosserie, ailée à l'arrière, se transforme à l'avant en une excroissance bombée comme pour une approche frontale répétée de l'horizon. Un des pneus avant est appuyé sur un gros caillou qui déforme le caoutchouc déjà gonflé par la chaleur. Le pare-chocs reflète l'image d'un cactus à coussin, surtout le rouge de la fleur dont la forme contiguë à une tache de rouille s'effiloche, rubigineuse. Le coffre de la valise est plein d'inscriptions tracées du doigt dans la poussière.

Une des portes est ouverte. Les clés sont sur le contact. Le cendrier est rempli de mégots, la boîte à gants, mal refermée. Une bande de cuir noir usée par la sueur entoure le volant. Sur la banquette, des cartes routières, une lampe de poche, un chandail, des bottes en peau de lézard déformées à l'endroit du petit orteil gauche, un livre aux pages cornées. Au pied du siège avant, un contenant en plastique est rempli d'eau aux trois quarts.

En contournant l'auto (la plaque est de l'Arizona, CHAP 1278), on peut voir au loin la présence soupçonnée de l'humain. Quelqu'un est là, debout et immobile au pied d'un vieux *saguaro* dont la blessure, les nervures ligneuses du squelette font une tache sombre à l'horizon. On peut penser un instant que c'est image ou mirage, une illusion comme cela peut se produire lorsque les altostratus modifient de seconde en seconde le champ de profondeur et la couleur tout autour. Mais l'adolescente se retourne et on peut la voir, d'un pas lent, d'un pas *satiné* revenir vers l'auto, insensible à la chaleur, à la lumière inexorable qui transforme les vies de chair en ossature de récit.

L'auto roule maintenant dans la direction de Tucson. Sa blancheur sur l'asphalte est absolument concrète. Jusqu'à ce que la nuit tombe et que phare parmi les phares, dragon parmi les dragons, elle rugisse au cœur de la «drague» vertigineuse qui déferle sur le boulevard Speedway.

Plus tard, à la nuit avancée, l'auto roule lentement parmi les candélabres et les «princesses de la nuit» éphémères. La nuit est douce drapée autour de l'auto, la nuit est blanche comme un silence trop longuement exposé sous les étoiles.

LE TÉLÉVISEUR

Le téléviseur est dans la pièce adjacente à la cuisine. C'est le premier meuble que l'on voit en entrant dans les trois chambres aménagées en appartement. Il fonctionne toute la journée depuis le réveil de Lorna Myher jusqu'à cette heure tardive où Kathy Kerouac, après avoir «fait sa caisse», referme la porte derrière elle et boit un dernier Coke avant de se mettre au lit.

Le téléviseur est beige, recouvert d'une étoffe de coton en dentelle sur laquelle un vase de lis artificiels repose en permanence; à côté, un cendrier mal lavé en forme de pneu au fond duquel on peut lire G RAGE EL JOY. De chaque côté de l'étoffe, le vernis est abîmé par des cernes de verre. L'antenne en forme d'oreilles de lapin est placée vers l'arrière.

Le meuble est massif. Tel que placé dans la pièce, il faut à tout coup, par un mouvement habile des hanches, le contourner. Il arrive que par maladresse on s'y meurtrisse la chair à la hauteur de l'os iliaque.

L'écran est toujours parfaitement clair. Jamais de neige. Rarement doit-on ajuster à l'horizontale ou à la verticale la forme et les visages des assassins, des politiciens, des *comiques* qui occupent l'écran la majeure partie du temps. Leur forme est parfaite, unidimensionnelle, plate. Les parties les plus visibles sont la cravate et la pomme d'Adam.

Où que l'on se trouve dans la pièce, le téléviseur attire l'attention, transforme la raison d'être dans la pièce, fût-elle une faim ou une soif pressante, dévie la conversation ou l'interdit, donne lieu à des éclats de voix, en particulier ceux de Lorna Myher qui commente toujours avec beaucoup d'agressivité et de vulgarités l'allure et le physique des rugbymen. Durant les intrigues policières, c'est pire! Sa colère s'abat implacable sur toutes les figures mâles qui défigurent les beaux paysages qu'elle imagine dans les yeux des femmes. Sa colère qui se manifeste d'abord par un va-et-vient devant le téléviseur se transforme ensuite en de longues phrases incompréhensibles qui alternent avec des gémissements. Kathy Kerouac voit alors à fermer discrètement les deux portes qui donnent l'une sur le bureau, l'autre sur le corridor. Dans son esprit, il ne saurait être question de scandale.

Le téléviseur reste ouvert pendant des heures et des heures. Durant les orages, cela fait peur à Kathy Kerouac et elle se blottit dans les bras de Lorna Myher. Alors, elles conversent de profil, le regard inquiet devant les images qui défilent, leurs mains nouées comme pour exorciser la peur imprécise de Kathy Kerouac, le tremblement du corps musclé de Lorna Myher.

LE TATOUAGE

L'épaule est bronzée, la peau lisse, la chair ferme. Toutes les vingt secondes, l'éclairage du néon longe la poitrine, passe au-dessus de l'épaule, expose un instant l'imago, puis remonte vers le visage avant de se perdre dans la nuit chaude.

Les ailes du papillon sont ouvertes, et le rouge et le mauve et l'indigo se rassemblent autour du corps qui se prolonge, ovale blanc en un visage de femme au sourire lent comme dans un tableau de la Renaissance. Puis cheveux ou antennes, serpents ou spirales, la tête se termine en une série de courbes pleines d'allusions et d'images virtuelles comme si l'artiste avait voulu faire montre de son talent ou succombé, malgré le mouvement ralenti de l'aiguille dans le derme, à une exubérance soudaine. On peut d'ailleurs penser que le tatouage ait été l'œuvre de cette femme qui habite au sud près de la frontière et qui, dit-on, a tatoué tous les «esprits libres» de la région, qui, dit-on, métamorphose en oiseau, en crâne, en navire, en dragon ou en fleur les épaules, les torses, les avant-bras et les dos offerts à ses mains expertes qui savent atténuer la douleur et essuyer soigneusement l'excès de colorant et de sang à chaque étape.

C'est maintenant une nuit toute en lenteur. On entend des voix et des rires en provenance du Bar. Elles sont appuyées sur la Meteor, Angela Parkins, la tête tournée vers l'adolescente, les lèvres rapprochées du corps indélébile. Les ocelles sont comme de petites apparitions qui sur le derme pigmenté attirent le regard, un code certain pour l'espèce.

Angela Parkins relève brusquement la tête comme si elle voulait fuir une image et cela donne l'impression qu'elle est sur le point de perdre l'équilibre. L'adolescente a un mouvement vers elle. C'est à ce moment précis que la pluie s'abat, torrentielle, rideau; et le crépitement violent de l'eau sur la carrosserie des autos, rigoles. À la faveur de la pluie répétée sur chaque surface, la nuit devient un immense son qui permet aux choses d'exister.

La pluie sur les épaules est violente. Le papillon luit de plus belle mais l'adolescente ayant croisé ses bras de manière à ce que chaque main couvre une épaule, le papillon disparaît non sans avoir laissé sur la pupille d'Angela Parkins: tête de mort, thorax, sphinx, une impression.

LE REVOLVER

Dans le premier tiroir sous le comptoir, l'objet repose sur un registre de comptabilité, le canon pointé en angle de cent vingt degrés vers un trombone qui affleure d'un mouton de poussière granulé de tabac. La crosse est appuyée sur un coin cartonné du registre.

Il y a maintenant deux ans que Kathy Kerouac n'a pas utilisé le revolver. Auparavant, elle se rendait une fois par semaine au champ de tir afin de se familiariser avec l'arme, sa pesanteur, sa portée, la résistance de la détente, le mouvement du pouce quand on abaisse le chien. Maintenant c'est à peine si elle remarque l'objet quand elle ouvre le tiroir. Seul le poids opaque de l'arme quand elle la déplace pour prendre le registre lui donne la sensation désagréable de toucher une bête sournoise.

Le revolver est toujours chargé.

Quand on ouvre la boîte à gants, le revolver scintille à tout coup. Il occupe la majeure partie de l'espace et sa forme reflétée dans un petit miroir de toilette amplifie sa dimension. Le revolver est chaud. Il arrive même qu'il

faille le prendre avec un linge ou en étirant par le bas le
T-shirt de manière à se faire une mitaine protectrice dans
le coton.

Elle s'en sert rarement mais certains jours, quand tout
semble désœuvré, on peut voir l'adolescente, le dos
courbé, disposer en un demi-cercle d'un rayon de trois
mètres autour de l'auto une vingtaine de cannettes vides.
Le bras tendu, la tête légèrement penchée, un œil fermé,
l'autre sur le cran de mire enligné sur les canettes, elle
appuie sur la détente. Au printemps quand les tarentules
sortent en grand nombre, elles font de belles cibles sur le
sol à découvert.

Le revolver est toujours chargé.

L'homme le transporte dans sa serviette. Il aime que
les dossiers soient bien rangés, appuyés les uns sur les
autres dans leurs chemises de couleurs différentes. Tout au
fond de la serviette, le revolver ainsi qu'une boîte de car-
touches peuvent selon l'épaisseur des dossiers servir
d'appuis-livres.

Dans les chambres climatisées, le revolver est froid.
L'homme en apprécie la sensation sur ses mains moites. Il
lui arrive souvent de lire en tenant le revolver dans sa main
libre comme si l'arme pouvait assurer une fraîcheur per-
manente au creux de sa paume.

Le revolver est toujours chargé. Aucune marque
d'appartenance ne le distingue des centaines d'autres que
l'on voit dans les magasins d'armes ou encore placés, tel
que la loi l'exige, à la ceinture des commerçants.

LE BAR

Lorsqu'on entre en venant directement du stationnement, la piste de danse, bien que petite et d'un beau bois
blond, donne l'impression d'un grand vide. Tout autour,
une dizaine de tables rectangulaires en mélamine noire, au
centre desquelles on a placé un cendrier jaune en plastique,
deux lorsque les tables sont plus grandes. Au fond, la ter-
rasse et la piscine à moitié cachées par une tenture qui
tranche entre la clarté du jour et l'intérieur sombre. À gauche, le bar en demi-cercle et, si on fait quelques pas vers le
centre de la salle, on peut apercevoir un juke-box ancien
aux formes arrondies. Derrière le bar, un grand miroir,
des bouteilles d'alcool, un téléviseur suspendu. L'écran est
allumé. Le volume est au minimum. Lorsqu'on s'assoit au
bar, le dos tourné à la piscine, on peut s'adonner à la rêverie en regardant les quatre affiches: un orage au-dessus de
Tucson, un parterre de lupins, des oponces sauteurs dans
les Santa Catalinas et le spectacle rare des grands *saguaros*
sous la neige.
Derrière le bar, une femme s'affaire à vider des cais-

ses de bouteilles, à remplir le réfrigérateur, à noter le plus et le moins des provisions. Le juke-box joue à tue-tête. C'est le moment creux de l'après-midi où la femme de ménage s'apprête à se transformer en barmaid. Ses gestes sont lents. La fatigue commence. Dans une demi-heure, elle ira dénouer ses cheveux, mettre un peu de rouge sur ses joues, changer de blouse et de souliers. Vers neuf heures, son mari viendra la chercher et Kathy Kerouac prendra la relève. Dans l'auto, le plus jeune de ses garçons se sera endormi, les deux autres se tairont, le mari s'intéressera au montant total des pourboires.

Les gestes de la femme sont minutieux. Ses lèvres bougent continuellement quand elle compte les bouteilles et plus laborieusement quand elle inscrit le résultat.

La fille de la propriétaire vient d'entrer du côté de la piscine. Elle est en maillot de bain, nu-pieds et elle laisse des traces d'eau sur son passage. Elle salue la femme et tout naturellement son corps entre dans le mouvement rythmé de la musique. Puis elle se dirige vers le bar et regarde silencieusement la femme travailler. Elle allume un petit cigare. Se penche au-dessus du comptoir, s'étire à ce point le haut du corps qu'elle pourrait basculer de l'autre côté, retire un livre.

La fille est plongée dans sa lecture. Le juke-box est maintenant silencieux. Un cliquetis de bouteilles et de verres, des chiffres marmonnés en espagnol. Le bruit du climatiseur.

Un homme passe derrière la baie vitrée qui donne sur le corridor. Il s'arrête un instant, change sa serviette de main comme si elle était trop chargée, revient sur ses pas, entre dans le Bar, commande un whisky et que l'on augmente le volume du téléviseur. La femme augmente le volume. L'homme allume une cigarette, fait pivoter son tabouret, regarde obstinément du côté de la piscine. La fille demande à la femme un crayon, souligne un passage, referme le livre, contourne le comptoir, remet le livre à sa place, baisse le volume. Kathy Kerouac entre, dit à la femme d'aller se changer, vérifie les additions. L'homme se retourne, son regard glisse sur la feuille de calcul.

PERSONNAGES

LAURE ANGSTELLE

Il est impossible de dire avec précision dans quelle ville ou à quelle croisée de chemins car on peut tout à la fois imaginer sa jeunesse au cœur du désert, à l'ombre des maisons en *adobe* de Myers Street, ou peut-être même penser qu'elle ait quitté à l'âge adulte une grande ville de l'Est afin d'explorer son désir, traversant le continent en quelques jours dans sa Dodge bleue ou qu'elle se soit rapprochée du Sonora au fil des années après avoir étudié dans plusieurs universités chacune ayant servi de point de repère au parcours inconscient qui l'avait menée vers ce grand nu à l'horizon qui tente.

Cela on peut l'imaginer ainsi que la voir marcher le long de l'enchantement qu'est le petit sentier qui monte vers les Catalinas. Elle doit avoir cinquante ans. Ses yeux bleus épient tout autour la vie qui comme à chaque crépuscule s'éternise dans le mauve. Elle tient un vieux bâton trouvé au fond d'un arroyo et qui l'accompagne dans chacune de ses marches au lever et à la tombée du jour.

On peut aussi penser que Laure Angstelle vit dans un temps qui suspend la réalité, qui parfois l'inverse dans le rêve ainsi que cela peut se produire avec des mots lorsqu'en en faisant usage on croit entrer dans l'inédit du monde et pouvoir là, la mémoire affranchie, donner au désir des formes jusqu'alors impensées, capables de nous soustraire à l'aveuglement.

On peut croire aussi que Laure Angstelle sait anticiper cet instant où l'âme *va craquer* devant la splendeur du mauve et que toute l'abstraction du monde s'engouffrera dans un mot. Femme studieuse, Laure Angstelle avait depuis longtemps familiarisé son corps et sa pensée à cet exercice qui consiste, très tôt le matin, à faire se rencontrer en quelques images rapides le cosmos, les êtres et le «bouillon gras» de la société. Mais avant que la pensée ne s'exerce à distinguer entre les paroles, les rires, le discours, le bouillon de culture, il lui fallait du silence, mettre du silence devant les êtres comme un écran car elle savait que la beauté était au prix du silence qui accordait toutes les musiques. Oui, accomplis, tourments ou passion, les désirs de Laure Angstelle s'étaient regroupés avec le temps en ce qu'il conviendrait de nommer quiétude.

Tous les jours, à la même heure, Laure Angstelle fume un petit cigare. Appuyée contre sa vieille Dodge, elle regarde le soleil découper la forme des *saguaros* et l'obscurité éteindre toutes les visions qui l'instant d'avant l'avaient amenée à penser que l'obscurité est un temps d'arrêt autour de l'humanité.

Elle doit avoir quarante ans. Certains soirs, on peut la voir marcher dans le vieux quartier de Tucson puis reprendre la voiture et se diriger vers le Bar Saguaro où l'attendent deux hommes qui lui parlent de poésie, auxquels elle parle d'images, d'acide et de colorant, de la texture du papier et de tous les problèmes que la lumière occasionne. C'est du blanc dont ils parlent, c'est de la lumière dont elle parle, et les voix ainsi se passionnent entrecroisées dans la fumée, l'éclairage et le bruit du climatiseur.

Peut-être a-t-elle trente ans. La sueur perle sur son

visage. Elle est assise dans l'enceinte du Presidio. Elle porte une longue jupe rouge qui attire le regard ainsi que des bijoux tout autour de ses bras, de son cou, suspendus au lobe de l'oreille. Les cheveux, noirs, sont très courts. Elle écrit dans un grand cahier. Le cahier est relié et si ce n'était d'avoir surpris son geste et la blancheur des pages, on pourrait facilement le confondre avec un livre.

Peut-être vingt ans. Elle s'est fait surprendre par la pluie. Elle court vers l'auto. Le monde est une gigantesque vague qui creuse le lit des rivières, qui déborde dans les gorges assoiffées et qui fait que le corps se soumet, à bout de souffle, mouillé, sculpté dans les vêtements légers, la pointe des seins braquée sur l'horizon.

Maintenant treize ans, assise devant son pupitre recouvert de poussière, traçant de l'index des lettres et des profils sur le bois blond qui ressemble à un plancher de danse.

Tout cela on pouvait l'imaginer mais les questions demeuraient les mêmes quand il s'agissait de définir l'espace que *le Désert mauve* avait occupé dans la vie de Laure Angstelle. Était-ce roman autobiographique? Avait-elle été à l'origine de sa publication ou quelqu'un de son entourage, ayant lu le manuscrit, s'était-il chargé de le faire imprimer, avec ou sans son consentement? Était-ce réellement le seul livre qu'elle ait écrit? Car rien n'interdisait de penser que Laure Angstelle fût un pseudonyme et que, sous son véritablement nom, elle ait écrit et publié plusieurs livres. Si tel était le cas, il fallait alors envisager la possibilité que ce livre soit en quelque sorte un dénouement, une rupture camouflée dans l'anonymat. Peut-être avait-elle écrit ce livre pour se libérer d'un passé, laissant au fil des pages la peau creuse se renouveler à même le baume des phrases, la part muée dans la mémoire. Peut-être aussi l'avait-elle écrit par pure provocation, par défi, se voulant sentir glisser, «flenchir», irrationnelle, brisée; peut-être avait-elle voulu écouler dans le temps comme un récit sans obstacle, une part d'elle-même, la part indivise. Peut-être même n'avait-elle jamais connu le désert et vivait-elle encore dans l'atmosphère turbulente d'une grande ville, protégeant sa solitude et son anonymat pour ne pas compromettre les livres à venir ou tout simplement pour attendre le vif saisissant de la mort.

Mais tout cela qui pouvait être fantaisie n'invalidait pas la pensée que Laure Angstelle ait sans doute été une femme fière, au corps agile, aux yeux pleins de tourment, vulnérable devant la beauté et le silence, affaissée quand la misère humaine retombait comme un crachat sur les êtres.

LORNA MYHER

Lorna Myher venait de terminer la réparation d'une courroie de transmission. Dans une demi-heure, elle aurait terminé sa journée. Il y avait maintenant deux mois qu'elle travaillait au garage Helljoy comme mécanicienne. Elle était sur le point d'allumer une cigarette lorsqu'elle vit arriver une auto, une Meteor, conduite par une femme. Le pompiste s'approcha mais la femme dit qu'il fallait regarder le moteur, peut-être la courroie du ventilateur ou l'alternateur.

Lorna Myher avait grandi dans la ville de Ajo à quelques kilomètres de la fonderie de cuivre. Elle était fille unique et vivait avec sa mère et sa grand-mère dans une maison-remorque que son père avait achetée quelque temps avant sa mort. Tous les jours, un grand nuage de fumée toxique arrêtait le temps au-dessus de la ville et Lorna Myher tournait la tête vers le sud en direction des monts Ajo. Là seulement pouvait-elle se sentir créature parmi les créatures, guettant le moindre signe de vie, suivant chaque indice susceptible de la diriger vers un terrier, une fourmilière, un nid. Elle aimait ces moments où retenant son souffle elle devenait écailles, perles, griffes, sentait son corps souple capable de tous les camouflages au milieu des épines et des baies sauvages.

Le pompiste pointa du doigt en direction de Lorna mais les deux femmes avaient déjà amorcé un mouvement pour se rapprocher. Lorna essuya ses mains sur son jean et, comme si au fond de son regard il était question de faire connaissance, elle tendit la main à Kathy Kerouac qui s'étonnant simultanément du geste et de la rugosité de la peau exerça sans le vouloir une légère pression de la paume. Les yeux de Lorna se tournèrent vers l'auto. Elle ouvrit le capot et ses mains se frayèrent un chemin parmi les pistons, les cylindres et les câbles huileux.

Lorna Myher marchait le long d'une palissade d'*ocotillos*, une fois de plus elle avait profité de la récréation pour se soustraire au regard vert de la jeune enseignante et au tohu-bohu de lettres et de chiffres qui heurtait quelque part en elle une volonté de silence, un besoin farouche des sens. Il avait plu la nuit précédente et on pouvait sentir une forte odeur de créosotiers. Elle se retourna et vit qu'une fille de sa classe courait vers elle. Lorna Myher attendit un moment puis quand la fille fut devant elle, à cette distance où les haleines peuvent se confondre, elle l'embrassa sur la bouche. La fille ferma les yeux. Le regard de Lorna glissa sur le vernis des feuilles vertes d'un créosotier, s'engouffra dans l'écarlate et le goût sucré des fleurs tout autour.

Lorna redressa son corps et dit qu'il faudrait laisser l'auto au garage pour la nuit. Devant l'hésitation de Kathy Kerouac, elle offrit de la raccompagner dans sa jeep. Durant le trajet, Kathy Kerouac parla du Motel et de sa fille Mélanie qui allait bientôt avoir cinq ans.

À quinze ans, Lorna Myher en avait fini avec l'école. Elle passait maintenant la plupart de son temps au snack-bar de l'usine où travaillait sa mère. En face, il y avait un garage que des jeunes motards utilisaient pour la réparation de leurs engins. Après plusieurs mises en garde et un combat dont elle sortit victorieuse, Lorna put circuler librement parmi les outils et les moteurs. Peu à peu, la suie, la sueur, la poussière et les vulgarités refoulèrent dans sa mémoire le flanc de la montagne et le rouge orangé des *ocotillos* en fleurs.

Lorna stationna la jeep et laissa tourner le moteur. Kathy Kerouac offrit alors la perspective de prendre un verre au bord de la piscine. Deux ou trois choses à régler et elle la retrouverait aussitôt. Lorna regarda son jean et son T-shirt et demanda où elle pouvait se changer. Lorsque Kathy Kerouac vint la rejoindre à la piscine, Lorna portait un short. La blancheur de ses cuisses contrastait avec le teint foncé de son visage et de ses bras. Lorna observait une enfant qui jouait dans l'eau avec un grand dauphin en plastique.

Lorna Myher avait vingt ans quand pour la première fois de sa vie elle vit des vagues. Ce n'était pas la mer, ce n'était pas la mer à Big Surf mais Lorna Myher éprouva une telle frénésie devant cet immense bassin aux mille tourbillons que vague après vague elle se laissa porter par le coussin jaune et noir qui, tapis magique, lui donnait l'impression de savoir nager, de tout pouvoir comme cette créature fabuleuse dont avait un jour parlé l'enseignante au regard vert. À partir de ce jour, Lorna Myher ne put se passer de l'eau. Matin et soir, elle allait à la piscine et on put bientôt la voir sillonner, papillon ou dauphin, l'eau chlorée.

Lorna accepta l'invitation de Kathy Kerouac. Pendant le repas, la fillette renversa un verre de lait. Elles parlèrent de mille merveilles, du mois de mai et de la mousse au sommet des montagnes qui donnait parfois l'impression que le désert pouvait être vaincu.

Cela, Lorna Myher se le rappelait comme si c'eût été hier. Elle regarda Kathy qui dormait profondément, un bras sous l'oreiller, l'autre allongé contre sa hanche.

Lorna se leva sans faire de bruit, puis en se rendant à la cuisine, elle ouvrit le téléviseur.

KATHY KEROUAC

La voix de Kathy Kerouac était à elle seule une présence, un enchaînement sonore de l'espace et du temps qui traversait comme un parfum les chambres, les corridors, l'appartement. Tout le Motel était imprégné de sa voix grave et mélodique, une voix qui pouvait, lorsqu'on ne prêtait pas attention aux mots, faire penser à un motet. Chaque vibration des cordes vocales donnait l'impression d'un son originé de bouches multiples. Quelle que soit la situation, la voix s'adaptait et ce qui était urgent l'était, ce qui était comique le devenait et ce qui pouvait menacer prenait forme derrière le voile de la voix.

Kathy Kerouac connaissait le pouvoir de sa voix. C'était, disait-elle, sa «chose en or», une amulette qui la protégeait contre tous les désordres de l'esprit. Sa voix était un charme qui pouvait arrêter la violence et transformer la grossièreté en courtoisie, la bêtise en finesse. Aussi Kathy Kerouac avait-elle l'impression que rien n'était jamais *tout à fait* dangereux, le sentiment qu'aucune parole ne pouvait salir son univers.

Parce que sa voix avait un tel effet sur les êtres, Kathy Kerouac ne prêtait pas toujours attention à ce qu'elle disait. Car pour elle le mérite des mots était de produire cette résonance qui au fond de la gorge lui faisait accorder les plus beaux instruments, entendre les musiques les plus lointaines. Elle choisissait ses mots pour la longueur des voyelles, la mimique des lèvres qui pouvaient, si le souffle, si la langue cherchait, reproduire les plus folles complaintes et contrefaire, quand cela était, son inquiétude.

C'était à l'aide de sa voix, comme si elle pouvait lui servir d'écran, que Kathy Kerouac contemplait le langage obscur qui la liait à Lorna Myher. Contempler était le verbe car elle pouvait alors passer des heures entières, absorbée par le mouvement des voix actives et passives, leurs points de rencontre et de rupture, à essayer de comprendre ce qui dans le rythme pouvait produire un tel degré de tension, une telle alternance du désir et de l'émotion.

Quand Lorna venait tout près d'elle, Kathy Kerouac l'enveloppait de sa voix et Lorna séjournait silencieusement dans le contraste des mots laissant aux petites apparitions qui cillaient dans son regard le soin de compléter les formes sonores qui la faisaient se languir de Kathy Kerouac. Lorsque Kathy parlait ainsi, le téléviseur sombrait au loin comme une forme de civilisation délavée.

Pour Kathy Kerouac penser en silence était une chose impensable, une forme bancale dans le rouage du corps et de l'âme aux prises avec la vie. Il lui fallait une résonance, une réponse, un écho aux sons qu'elle produisait. Aussi passait-elle une bonne partie de sa journée au téléphone. Tout était prétexte, une commande à donner, une réservation à vérifier, un contretemps qui l'obligeait à annuler sa pratique de tir. Penser dans le silence était pourtant une réalité à laquelle elle était parfois contrainte. N'avait-elle pas à maintes reprises fui le son de sa propre voix et battu en retraite gardant un silence obtus lorsque Mélanie rentrait à l'aube ou quand il eût fallu parler plus longuement des hommes et du désert? Elle le savait, le risque eût été trop grand d'une lamente ou d'un grand tapage dans sa voix qui l'en eût fait perdre le contrôle.

On disait de Kathy Kerouac qu'elle était une femme sérieuse, honnête et discrète, mais tout cela on le disait parce que la voix de Kathy Kerouac dissipait toute arrogance, toute colère comme un chant de sirènes. On disait que le père de l'enfant était un acteur ayant autrefois travaillé à Old Tucson. On disait qu'une femme «sans manière» habitait en permanence au Motel Mauve. On disait que Mélanie avait des manières sauvages. Tout cela on le disait mais Kathy Kerouac trouvait chaque fois manière de dire que sa propre mère avait connu la terre et que dans la chaleur elle avait œuvré, buisson, bruissement, les cris assourdis des enfants, tout au long des champs, dans la plaine, «sans manière, sans manière» parmi les ornières, les panics et la fougère folle qui ployait sous les tracteurs car le ravage était grand, ô grand ravage, disait Kathy Kerouac, les larmes aux yeux et la voix prête à toute allure à refaire le monde.

La voix de Kathy Kerouac était un espace à l'horizon. Elle pouvait crépiter, pluie torrentielle ou tempête de sable, s'allonger comme un écheveau d'acquiescements ou isoler une phrase investie dans le dédale de l'ennui.

Pourtant la voix pouvait *prendre peur*. Cela, Kathy Kerouac ne l'anticipait que trop quand les syllabes se mettaient soudain à sortir de sa bouche comme de petits fragments d'oubli qui lui donnaient l'impression de se contredire. C'était dans ces moments, quand les mots étaient tout à la fois vrais et faux, graves et légers, sur le bout de la langue et lointains dans la gorge, que l'espace refoulait dans sa bouche comme un coup porté durement.

Oui, Kathy Kerouac bien qu'elle eût l'orgueil de la voix savait repérer l'instant où sa propre voix pouvait se dissoudre dans le désordre et le chaos ou se mettre soudain à luire comme un corps nu de femme, une nuque tendue. Elle savait toujours là s'arrêter dans l'image et les mots.

Telle était l'épreuve de Kathy Kerouac qui donnait à tous l'impression d'être une femme sans expression.

ANGELA PARKINS

Il y avait maintenant tout près de vingt ans qu'Angela Parkins exerçait son métier de géomètre. La sécheresse et le soleil avaient depuis longtemps buriné son visage. Ses yeux vifs habitués à toutes les perspectives étaient d'un noir capable d'atténuer les reflets trompeurs que la lumière blanche du désert déversait dans son œil calculateur. Son habitude de la précision en avait fait une femme déterminée, capable de représentation et ayant le sens du territoire, un grand territoire qui recouvrait plusieurs *états.*

Depuis quelques jours son équipe travaillait tout près de Death Valley Junction et elle avait décidé que ce soir elle irait à l'Opéra d'Amargosa, ce petit théâtre perdu au fond de l'aridité et des dunes imprenables qui, comme un fruit insolite découpé sur l'horizon, évoquait cet appétit de spectacle que les êtres développent quand la nostalgie accable l'esprit.

La journée s'étirait en tracés, volumes et surperficies. La chaleur était insupportable. Le corps se déshydratait en quelques heures. Angela Parkins ne pensait pas à se protéger. Elle rédigeait soigneusement son rapport pendant que les hommes préparaient le retour à Death Valley Junction.

La salle est toute petite. Sur les murs, on a reproduit des loges, des balcons dorés remplis à craquer d'Espagnols en costumes du XVIe siècle. Au premier rang des femmes qui chuchotent, un mouchoir, un éventail à la main. Le rouge et le bleu des robes, poitrines toute chair, d'étranges coiffes, tout cela qui forme une civilisation quand on regarde au fond des yeux l'expression. N'était-ce pas l'expression du regard qui permettait de distinguer parmi les outils, les armes et les ornements, comment la mort pouvait être vaincue, comment les femmes, esclaves parmi les esclaves, pouvaient s'adonner dans leur forme arrondie à la vie? N'était-ce pas dans le regard que l'on pouvait deviner l'usage de la parole et observer comme sur une carte topographique les pensées, leur profondeur, le nivellement, les petits détails qui permettent de mesurer la distance parcourue par l'esprit?

Angela Parkins aimait le spectacle. Tous les spectacles, tout ce qui pouvait s'offrir comme un volume dans la pensée, faire tourner les dialogues en intrigues ou aboyer l'âme dans l'éternité. Elle aimait que les corps soient habités par des passions ou qu'ils puissent en exprimer les clichés, prendre des poses inégalées par aucun animal. Pour Angela Parkins, le corps était *stricto sensu* matière à sensation, chaos, atome, chair vive. Oui, elle aimait aussi les visages mais un visage est toujours si complexe et les traits peuvent en quelques secondes se transformer, si facilement induire en erreur comme de beaux masques, répandre la terreur, jeter l'âme dans le plus profond désarroi.

Elle aimait les sentiments extrêmes, les explosions de joie, de voix, les attendrissements soudains qui font léviter le corps, la parole touffue, abondante et crue car, pensait-elle, le corps doit être vorace et tout à la fois pouvoir s'envoler capricieux et ductile comme un fil de soie.

Le spectacle allait bientôt se terminer. La ballerine

irait se changer, enfilerait son jean et ses bottes en peau de serpent. Les voix se croiseraient un instant à la sortie et Angela Parkins retrouverait sa chambre dans un motel perdu au fond de l'immensité.

La chambre serait banale, les murs tout beiges, la piscine déserte. Angela Parkins ouvrirait un livre récent et essayerait comme à chaque nuit d'oublier l'image de l'enfer, refoulant dans sa mémoire la première explosion, l'immense déchirure dans l'atmosphère tremblant, les flancs de l'animal sous ses cuisses, sa chute du cheval, le cheval au grand galop, l'herbe contre sa joue, un monarque qui bat des ailes sur une fleur d'acacia. Au loin, l'enfer.

Angela Parkins déposa le livre au pied du lit. Ses yeux fixèrent le mur. Qu'est-ce que la vérité? *Alêthéia, alêthéia.* Elle était comme une butte-témoin échappée à l'érosion, spectatrice isolée, preuve. Angela Parkins s'endormit, le corps tout raide, figé comme une forme suspecte sous le drap.

Demain, il faudrait attendre le crépuscule avant de repartir vers l'Arizona. La route serait longue. Les hommes parleraient d'équipement, de nouveautés. Leurs paroles seraient vraisemblables. Il y aurait les yeux des lapins, de petites luisances sous les phares. Puis tous se tairaient et Angela prendrait le relais au volant. L'aube serait éclatante, indicible dans le mauve. Puis à nouveau, la blancheur ferait vaciller la réalité et le sentiment cru de l'hyperréalité prendrait le dessus sur les choses. À Tucson, le break s'arrêterait au premier motel sur la gauche.

l'homme long

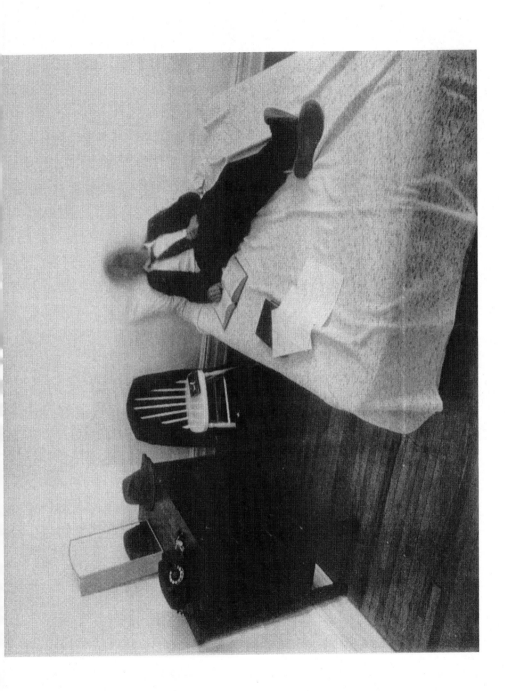

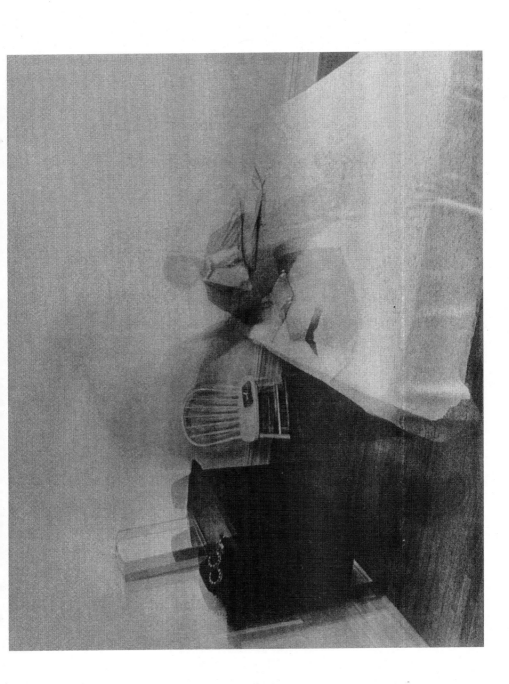

$$T_{2L}^{\sigma} = U_L + \frac{1}{2} + \frac{2}{3}\left(-2L-\frac{1}{2} + U_{2L}^{\sigma}\right) f_{\sigma+\frac{1}{2}} \, 3\left(2 - U + U_{2L}^{\sigma}\right) f_{\sigma} \, ?$$

$$\boxed{T_1 = U^{\sigma} + \left(-\frac{2}{3} U_L^{\sigma} + \frac{2}{3} U_L^{\sigma}\right) f_{\sigma} + \left(\frac{2}{3} U_L + \frac{2}{3} f_1\right) f_{\sigma} -}$$

$$h_{\sigma L_m} = U_L^{\sigma} - \left[U_m^{\sigma} + \left(-\frac{2}{3} U_L^{k}\right) + \frac{2}{3} U_m\right) f_1^{\sigma,m} + \left(-\frac{2}{3} U_L + \frac{2}{3} U_L f\right) f_{\sigma} -$$

$$\sum \left[U_m^{\sigma} + \frac{2}{3} U_L^{\sigma}\right) f_{\sigma} + \left(-\frac{2}{3} U_L^{\sigma,L} + \frac{2}{3} U_L f\right) f_{\sigma} + f_{2}, U_1, 0\right]$$

$$\left[U_m^{\sigma} + \frac{2}{3} U_L^{\sigma}\right) f_{\sigma} + \left(-\frac{2}{3} U_m - f_L^{\sigma}\right) f_{\sigma} + \boxed{1 f_{\sigma}}$$

$$U_{in}^{\sigma} = \left(f_L + \frac{2}{3} U_q\right) f_{\sigma}^{\sigma} + \left(\frac{2}{3} U_q\right) f_{\sigma}$$

$$\int \rho(f_1^{\sigma} f_1^{\sigma}) \, df$$

NOM

L'homme fort

NO

NO | NOM

MÉLANIE

D'emblée le visage de Mélanie prend place dans l'histoire comme une figure soutenue, quelques traits indécidables de la solitude bien qu'à certains égards, quand le visage est attentif, on puisse s'interroger sur la composition même de l'air. Car vivre vite au présent assigne à certains traits leur emplacement: ride, cicatrice, au cœur du lisse, le présent s'approprie tout naturellement l'ensemble des pensées, ouvre et referme la peau, répartit le désir, l'espoir et la violence, marques circonstancielles qui arriment le visage à l'existence.

Le visage de Mélanie comme une image qui suit son cours entre la voix narratrice et le personnage, ce visage ouvre des abîmes de comparaisons. Comme tout visage, celui de Mélanie est un acte physique de la pensée. Il mime, simule, joue, tremble, effraie, charme, contraste, il retient ou rejette par chacun de ses pores le vrai, la feinte, l'image, la superstition de vivre, il acquiesce, témoigne, il nie jusqu'à ce que les muscles faciaux règlent la tension, ajustent les forces avides intérieures et la pression cumulée de la réalité. Lorsque le visage s'offre, ce sont les cheveux courts et le front dégagé, les sourcils fins, la parfaite symétrie qui donnent au désir sa configuration. Lorsqu'au contraire le visage s'obstine à vouloir plus, la bouche abrite une telle vélocité qu'on voit très distinctement les lèvres et le menton s'organiser pour l'offensive. Si les yeux interviennent, ils dessinent des ombres, des calculs, des trous comme de grandes négations, se suspendent au-dessus du vide ou encore se mettent à danser autour de quelques images hypersexuées. Mais le plus souvent les yeux, quand ils se mettent à l'écoute, enfilent l'un après l'autre les mille détails de la vitesse et de la lumière croisées.

Bien que jeune, c'est un visage habité, multiplié, non pas commun, mais portant la marque de ce qui remplit les sens abondamment et en renouvelle ainsi la théâtralité: le multiple de mourir, le multiple de passion. C'est un visage qui pourrait être qualifié de compétent, c'est-à-dire capable de compenser pour la peine l'inexpérience des traits par de subtiles mises en scène intérieures qui ont pour résultat de plisser le front, d'étirer la bouche, de soulever l'arcade sourcilière, de creuser légèrement la joue droite, tout cela afin de doser la vulnérabilité, la bonne mine et les foucades installées en Mélanie comme des contrastes.

Le visage est ressemblant, neutre et distant, capable d'assouplir la réalité. Rien de psychologique, seulement l'intensité, rush d'intensité, vitesse concentrée d'un vouloir dire sans manière. S'il fallait décrire ce visage, il faudrait cent fois recommencer les traits, la courbure du nez, les signes, les lèvres gercées qui donnent l'impression d'une grande soif et que la voix sans doute elle aussi craque dans l'air sec. Il faudrait souligner la longueur des cils, le duvet pâle sur les joues, progresser de manière à ce que le visage énonce à quelles conditions il choisit d'exister. Dans l'intervalle, la couleur panachée de l'été répété comme une seule saison sur le grain doré de la peau serait en pleine lumière, une constante. À l'ombre, le visage on n'aurait qu'à le dire absent ou consigné dans le silence avec une bouche hantée par le bruit de la civilisation.

Ainsi, bien que jeune, le visage de Mélanie ne déçoit pas. On peut le regarder en ne pensant à rien, on peut désirer discrètement qu'il s'anime le temps d'un dialogue, on peut vouloir s'en faire un masque et le porter quand le goût de vivre dépasse en nous la mesure et que le front, la mâchoire et les lèvres s'apprêtent à quelques attentats sur la réalité.

AUTOPORTRAIT DE MAUDE LAURES

Tu es là, les deux bras tendus, les genoux fléchis, l'œil droit. La balle commence à monter. Tu ne la quittes pas des yeux, pourtant le bleu du ciel, le sommet des arbres, au fond du parc, le vert un instant flou, la lumière vive dans tes yeux. Tu frappes. La balle s'engouffre dans le filet, roule comme une petite tête. Ton adversaire esquisse un sourire. Tu sens la sueur sur ton cou, dans tes cheveux, le long de tes tempes. Tu passes ta langue sur tes lèvres, un goût salé. Tu voudrais être *«fast so fast»*. Tu te concentres. Tu lèves les bras. La balle est un oiseau. Tu es tendue comme un arc. Tu donnes un coup de reins. Ton corps est une oblique. Ton corps pivote. La balle traverse. Ta main glisse sur le cuir du manche. Tu penses au volant de l'auto. Tu réponds par une amortie. La balle s'écrase comme un animal foudroyé. Tu observes ton adversaire. Tu voudrais anticiper chacun de ses mouvements. Tu cherches à comprendre la raison d'être de ces courts chapitres qui donnent à l'homme long un caractère fictif. Tu t'avances vers le filet. Tu réussis ton smash. Tu penses au corps musclé de Lorna. Tu l'entends gueuler devant le téléviseur. Tu avales ta salive. Tu réponds facilement avec un lob. Tu gagnes ton service. Le soleil t'arrive dans les yeux. Tu aimerais partir au loin, te dissoudre dans la chaleur. La balle frôle ton épaule. Tu perds l'équilibre.

Tu changes le rythme. Tu l'obliges à jouer au fond du terrain. Tu la gardes à distance. Tu observes son jeu de pieds, le mouvement de son poignet, l'encolure de sa chemisette. Ses cheveux sont d'un roux flamboyant. Ses gestes gracieux. Elle doit avoir vingt-cinq ans, peut-être trente. Elle tend les bras. Sa poitrine se soulève. À chaque service, elle respire bruyamment comme si le coup allait porter, fatal. Ses gestes défensifs sont malgré tout risqués. Elle s'avance vers le filet. La partie est terminée. Vous souriez. Vous marchez le long du petit sentier vert jusqu'à la rue Joyce. Tu rentres chez toi. Tu te sers une bière. Tu étales sur ton bureau les chemises que tu as préparées pour chaque personnage. Maude Laures, dis-moi, que peut-il donc arriver en cet après-midi chaud et décousu de juillet? Dis, que peut-il se tramer dans ton regard que tu n'as pas su comprendre quand le temps était aux premières lectures et que tu annotais ce livre insolite trouvé dans une librairie de livres usagés? Dis-moi comment ce livre «innocent» est venu dans ta vie interrompre ta routine de fille studieuse, a dédoublé en toi le portrait car, tu le sais fort bien, Maude Laures enseignait depuis trois ans dans un collège de filles. Elle était aimée de ses élèves et la direction appréciait son enthousiasme à communiquer, son approche pédagogique. Elle ne parlait jamais de politique et les livres qu'elle mettait à l'étude ne pouvaient qu'inciter au plaisir de la lecture. On ne lui connaissait ni amant, ni mari, ni amoureuse. Elle s'entourait de beaux objets. Lampes, tables, chaises étaient pour elle sculptures, marbre, de belles surfaces lisses et froides qui l'aidaient à penser. À Noël, elle partait vers le Sud. Après les vacances de Pâques, elle parlait de la Citadelle, des Anglais sur les Plaines, de la beauté du fleuve et toujours sa voix s'enflammait comme le feuillage en octobre. Quand septembre arrivait, ses cheveux étaient toujours très courts. Elle ne maquillait plus ses yeux depuis qu'elle portait des lentilles. Les jours de paye, elle achetait cinq ou six livres dont elle savait que la lecture allait la rassurer sur l'existence ou conforter quelque part au fond d'elle-même les aléas de ses pensées. «Aimez les livres, répétait-elle sans cesse à ses élèves, car vous ne savez par quel hasard, au tournant d'une phrase votre vie s'en trouvera changée.»

Les soirs d'hiver, Maude Laures faisait de longues marches. Elle s'arrêtait parfois dans un petit café de la rue Bernard, parlait longuement avec la serveuse qui venait de Rivière-du-Loup. Quand la clientèle était trop nombreuse, elle s'assoyait à une table d'où elle pouvait regarder les gens passer dans le froid et observer les petits reliefs sur la devanture du cinéma Outremont.

Maude Laures aimait, bien qu'elle fût souvent entre les quatre murs de son appartement, le son cru qui accompagne la rêverie quand on s'enfonce dans la ville aux multiples outrages et dispositifs. Malgré son air distrait, rien ne lui échappait des signes et des feux qui activent l'enthousiasme ou qui, à l'opposé, refoulent toute perspective dans le grand rectangle de solitude qui sert d'écran aux poitrines urbaines.

Pour Maude Laures, la vie se résumait à trois choses: éviter toute confusion entre les hommes et la réalité, isoler les paradoxes, donner suite à ses pensées les plus impudentes. Ce n'était pourtant pas chose facile car toujours lui venait un besoin d'images et de couleurs qui la contraignait simultanément à la beauté simple de l'aube et à ce rire baroque qu'elle savait capable de tout lapider, évidence et certitude.

Et maintenant, dis-moi Maude Laures, que peut-il donc arriver en cet après-midi chaud où tu t'apprêtes à changer de personnage, à te risquer dans le désert auprès de Laure et de Mélanie, à t'allonger, la nuit venue sur le sol nu, les yeux aux aguets pendant que les Taurides filent et que, dans la langue ancienne qui est la tienne, tu imagines encore des scènes?

SCÈNES

I

Le temps recommence entre Kathy Kerouac et Méla-nie. Les visages font un effort et on voit les lèvres et le pli du regard obliquer à travers les mots. La chaleur est grande, l'eau de la piscine aveuglante.

— C'est vague, il suffit d'un geste, d'une parole ou encore que je te voie devant cette télévision.

— C'est vague! Il y a pourtant des mots pour dire ce que tu ressens.

— Tu regardes Lorna et tu ne vois rien autour.

— Mon regard est vaste.

— Vague. Tu ne me vois pas.

— Je vois ce que j'aime, ce qui est raison de vivre. Tu es centrée au cœur de mon existence. Tu n'as pas idée de ce qui m'habite. Crois-tu que ma pensée soit libre de ton visage, de tous ces souvenirs qui s'installent dans la mémoire au fil des années?

— Tout pour éviter le présent, n'est-ce-pas? Mais sois rassurée, je pars. Tu es à la fois trop présente et absente.

Tu existes trop en moi parce que tu ne me parles jamais. Je suis obligée d'imaginer ta tendresse, d'inventer des dialogues dans lesquels tu me dis ton amour, ton estime, ton appréciation. Mais je suis lasse de toutes ces fantaisies. Je ne veux pas passer ma vie dans le désordre de l'émotion. Je veux l'horizon bien clair devant moi.

— Une fille ne va pas dans le désert se nourrir du soleil et de l'horizon. Une fille ne doit pas s'avancer jusque là où l'œil est trompé.

— Mon regard sera vigilant. Je suis alerte dans le questionnement.

— Le soleil, la chaleur, la solitude auront raison de toi.

— La chaleur me vient de l'intérieur. Je sais être seule. Si seulement tu pouvais imaginer dans mes yeux la splendeur d'exister!

— Tu veux dire que ton ventre veut parler.

— Je dis que mes yeux parlent d'exister.

— Tes yeux sont si pleins d'arrogance et d'orgueil que forcément ils te tromperont. Tu ne sais donc pas que...

— Non, je ne sais rien. Je pars parce que tu ne m'apprends rien. Tu regardes cette télévision. Tu n'as d'attention que pour Lorna. Non, tu ne m'apprends rien.

— Tu sais, les yeux, oh! tu sauras bien assez tôt.

— Quoi, les yeux?

— Les yeux qui cherchent à devancer l'horizon. Les yeux impatients sont toujours déçus.

— Je serai vive et patiente.

— Il n'y a pas de fine manière avec eux. Il faut que les yeux pensent et quand ils pensent, il faut se soumettre. Les yeux font craquer les visages qu'ils pénètrent. Toi aussi tu te soumettras.

— Je n'ai pas peur de la mort.

— Mélanie, il ne faut pas penser à la mort. La mort est une chose quelque part inventée par les hommes pour oublier et se soustraire à la réalité.

— Ne sois pas ridicule. La mort est pour tous une rencontre.

— Je dis que les hommes ont inventé la mort parce qu'ils y pensent. Ils la cultivent tapageusement.

— Et toi, tu n'as jamais pensé à la mort?

— Je suis devenue mortelle le jour où je t'ai donné naissance. La mort ne vient pas vers nous, c'est nous qui allons dans le temps *tout naturellement* vers la mort.

— Pourquoi me parles-tu ainsi maintenant?

— Je t'ai toujours voulue capable et entière.

— Je le suis.

— Oui, parce que c'est ainsi que j'ai voulu que tu sois.

— Tu voudrais être tout, n'est-ce pas? Tout pour moi, tout pour Lorna, tout pour les clients. Tu voudrais que la perfection commence avec toi. Tu voudrais passer l'éponge sur tout, faire semblant. Recommencer le monde et la loi.

— Je veux la paix, qu'il n'y ait point de massacre et d'oubli.

— *Tu n'es qu'une mère.*

— Tu crois qu'une fille peut ainsi dicter à sa mère des choses qui pourraient la rendre «facile»! Une mère n'est jamais «facile». Une mère fait toute la différence dans une vie.

— Une mère fait la différence si elle instruit sa fille. Une mère qui n'instruit pas sa fille mérite d'être oubliée devant son téléviseur. Une mère ignare est une calamité.

— Je t'ai instruite par mes gestes et mon courage.

— C'est avec Lorna que j'ai appris à nager, à connaître le désert. Toi, tu aurais voulu m'apprendre à pleurer. À te regarder, j'apprends la peur. On dirait que tu as peur de tout. Mais qu'est-ce qu'une vie si on a peur de tout?

— Je crois que tu peux partir. Nous n'avons plus rien à nous dire. Prends ce peigne d'argent. Il te portera bonheur.

— Le bonheur! C'est parce que tu cherches le bonheur que je t'en veux.

— Je cherche le contentement, le bien-être, le bienfait quotidien.

— L'aisance. Tu cherches la commodité, la facilité.

— Mélanie, tu devrais partir ou te taire car tu ne sais plus ce que tu dis. Tu confonds violemment les mots, tu te les appropries comme s'ils étaient des carrés de sucre que tu te mets sur la langue en attendant que ça fasse effet. Pardonne-moi si je n'ai pu t'instruire. J'ai pourtant cru l'avoir fait. Et cela malgré ton mutisme, tes fugues répétées. J'ai cru que mon affection suffisait, que ma voix quelque part en toi atteignait le nœud dur qui te tient lieu d'âme.

— Ce qui se noue dans le cœur se noue du silence d'autrui. Tu sais, *ta voix*, ta belle voix ne m'a jamais vraiment parlé. Ta voix s'est superposée à la médiocrité qui dans ce Motel écarte tout espoir. Je pars mais tu sais que je reviendrai. Je reviendrai parce que je sais que tu m'espéreras. Tu vois, nos yeux sont secs. C'est bon qu'il en soit ainsi. Ne pleure jamais pour moi. Ne fais jamais cela car alors tes larmes rejoindraient les miennes et nous serions emportées, oui, je crois que nous serions toutes deux emportées d'une seule vague.

II

*Il a suffi de deux heures de route pour que le quoti-
dien devienne un petit point sombre dans la conscience.
Kathy Kerouac et Lorna Myher ont stationné la jeep.
Coupe verticale à l'horizon, leurs corps forment une présence certaine dans le mauve.*

— Presser le pas, ralentir. Il semble que nous soyons
ou trop lourdes ou légères, ou est-ce le désert qui donne
cette impression de déjouer le poids réel du corps?

— Auprès de toi, je garde l'équilibre. Tu es cette eau
de forte densité qui maintient le corps en surface et qui
l'empêche de sombrer bas dans le tourbillon.

— Est-ce que je mérite autant de faire-valoir et de
célébration? Je ne suis pourtant qu'une femme ordinaire.

— Et moi une grande dyke achevée de joie auprès de
toi. Tu vois, il suffit de nous éloigner de ce Motel et nous
reprenons vie.

— Il suffit de laisser tranquille cette maudite télévision.

— Tu es...

— Ne me dis pas qui je suis, même si ce que je suis je ne peux le découvrir qu'avec toi.

— Parce que je te ressemble ou parce que nous sommes différentes?

— Parce que tu es vive et que tu n'as peur de rien. Il faudrait pourtant *(malaise dans la voix)* que tu apprennes à lire.

— Tu ne peux donc te résigner à me voir telle que je suis. Je suis un corps. Un corps heureux dans l'eau. N'as-tu jamais songé que mon corps s'effriterait s'il venait à entrer dans la matière tordue des mots? Si tu savais combien je préfère mille fois mes doigts agiles à toutes ces lignes fragiles et mille fois tordues que les hommes écrivent, que ta fille écrit.

— Mais tout le monde autour de nous sait lire et écrire.

— Tout le monde autour de nous ne fait pas, ne pense pas, ne mord pas l'oreille de son amour*e* comme nous. Personne autour de nous ne fait ce que nous faisons. Personne n'éprouve ce que nous éprouvons.

— Je suis une femme ordinaire et j'éprouve comme les autres.

— Les autres qui? Pauvre Kathy, mon amour*e*. Pauvre moi, ton amour*e*. Qu'allons-nous devenir si tu ne m'aimes point comme je suis, si je te veux comme tu n'es point? Combien de caresses, combien de fois les mains sur nos bouches, combien de fois l'ardeur du ventre pour que nous devenions avec exactitude ce que nous sommes? Ou cela n'a-t-il rien à voir?

— Mais lire est une chose nécessaire. Lire est une nourriture.

— Oui! «Qu'est-ce qu'on mange? Qu'est-ce qu'on mange?» C'est ce que répète ta fille. Et elle s'enfuit, ta fille. Moi, je dévore. Je prends. Je n'attends pas que les lignes tordues essoufflent tout mon corps et l'indisposent à ce point qu'il ne puisse tolérer les bonnes saveurs et les belles images. Ta fille, elle parle trop d'éternité.

—Ma fille est subtile. Elle comprend les choses.

— Et moi je suis grossière, je suppose! Dis alors ce que tu fais avec moi.

— Avec toi, je fais ce qui est essentiel. Je fais ma vie. J'invente ma réalité. Je cerne la certitude et tisse mon espoir.

— Tout ceci est bien abstrait. *(Silence.)* Est-ce que tu crois qu'on puisse aimer autour du corps? Qu'on puisse aimer sans odeur, sans saveur, sans que la langue n'aille chercher son sel sur la peau de l'aimée, sans le froissement des mains sur les cuisses, sans qu'il ne soit nécessaire de raffiner nos sens? Crois-tu que tu aurais pu m'aimer en faisant abstraction de mon corps, si je n'avais été qu'une image au fond de tes yeux, s'il t'avait fallu contourner mon corps pour m'élire?

— Oui, je crois que je t'aurais aimée même en n'ayant jamais trouvé ton corps. Oui, j'aurais pu t'aimer en contournant ton corps.

— Mais contournant mon corps, qui aurais-tu aimé?

— J'aurais aimé l'impossible en moi, jusqu'à en être meurtrie.

— Et tu l'aurais fait quand même?

— Quand même.

— Tu me déconcertes. Il m'est insoutenable de penser, même une seconde, que l'on puisse aimer sans que les corps ne viennent affranchir ou soutenir le désir.

— Qui parle de désir? Je parle d'une émotion précise qui crée de la présence bien au-delà du corps réel.

— Des émotions, nous en avons plus qu'il n'en faut pour nous soustraire à la réalité. C'est le désir qui provoque toute rencontre, tout élan de vie.

— Je ne te désire pas. Je suis émue par toi. Je suis touchée à vif par tout ce qui en toi signifie. Cela est infiniment plus précieux que de te désirer. Je suis vitalement touchée par toi.

— Moi, je dis désir et vite corps à corps. Corps d'abondance, caresses, étreintes, excitation. Je veux des traces, des marques, le sang qui afflue dans nos veines. Il faut des preuves à l'amour. Des preuves charnelles sinon le corps se languit, se dissout dans la chose tordue des mots, le chaos de l'émotion.

— L'émotion est ce qui pacifie.

— Ainsi tu ne me désires pas. Mais alors que faisons-nous ensemble? En quoi suis-je différente de ce qui te procure émotion?

— Tu es unique.

— Non, et tu le sais bien. Personne n'est à ce point libre. Personne n'est à ce point seul*e* au monde.

— Je présume alors qu'il n'y a pas d'explication et qu'il est futile de chercher une raison à l'amour que j'éprouve pour toi. Il est peut-être plus facile de choisir parmi la ribambelle de miroirs, de costumes et de rôles des mots plus simples, plus doux, moins crus, ordinaires.

— En amour, il ne faut pas être ordinaire. Cela m'offense de t'entendre dire que tu es une femme ordinaire.

— Tu veux dire que cela t'humilie d'aimer une femme ordinaire.

— Je ne pense pas que tu sois ordinaire. Mais oui, cela m'humilie de te l'entendre dire. J'ai passé toute mon enfance, mon adolescence à refuser de devenir une femme ordinaire. Nous étions pauvres mais cela n'était pas, à mes yeux, une excuse pour être confinée à l'ordinaire. Regarde un peu ta fille, elle non plus n'est pas ordinaire. Et tu peux être certaine que cela n'a rien à voir avec le fait de savoir lire ou non.

— Tu fais des phrases.

— Comment exister sans faire de phrases!

— Tu vois, tu es plus tordue que tu ne voudrais l'admettre.

— Je suis amoureuse. Je fais tout ce qu'il faut pour

ne pas te perdre. Pour moi, cela va sans dire et sans drame.

— Pourtant la terreur est partout tout autour de nous. La glace, le *sparkle* du rire froid.

— Ce n'est pas chose que l'on peut empêcher. La terreur est. Nous n'échappons pas à ce nuage. Survoltées, révoltées ou résignées, nous sommes dans son sillage.

— Pouvons-nous contraindre le récit?

— Le récit de nos vies, de la terreur ou de l'impossible?

— Résumer un peu. Tout simplement. Sans violence, avec quelques points de repère.

— Nous n'avons d'autre repère que nous. Nous sommes entourées de signes qui invalident notre présence.

— Alors disons que j'aimerais que nous puissions résumer notre présence. Lorna Myher, grande dyke d'Ajo, plonge-moi dans le ravissement. Aventure-moi dans le désir. Fais tout ce qu'il faut, qu'il ne faut pas, ma confiance est absolue.

— Je ferai seulement ce qui en toi désire. C'est la seule présence que je puisse t'offrir.

III

*L'épaule est bronzée, la peau lisse, la chair ferme.
L'éclairage du néon longe la poitrine, passe au-dessus de
l'épaule, expose un instant l'imago, puis remonte vers le
visage de Mélanie.*

— La nuit est belle.

— La nuit est ce qui permet de soudains changements.

— La nuit est concrète.

— La nuit est oblique. D'un côté les êtres, de l'autre
les bêtes. C'est pourquoi nous tremblons, la nuit venue, de
ne point trouver notre lieu.

— Voici que nous nous adressons tout naturellement
la parole et pourtant, Angela Parkins, je ne sais rien de
vous.

— Je viens du désert.

— Que savez-vous du désert, du soleil et des hommes? Ma mère dit que...

— Le désert est un espace. Un jour des hommes y

sont venus et ils ont affirmé que cet espace était enfin conquis. Ils ont dit souffrir de leur conquête. Ils ont souffert car le désert ne permet aucune erreur. Mais les hommes ont confondu l'erreur et la souffrance. Ils ont conclu que leur souffrance pouvait corriger l'erreur de la nature, la nature même de l'erreur. Ils se sont ainsi abouchés à la mort.

— C'est une belle nuit.

— La nuit est toujours belle car elle nous oblige à ressentir avec notre peau et les yeux de l'intérieur. La nuit, on ne peut se fier qu'à soi.

— La nuit est belle en toute solitude mais votre présence me rend cette nuit encore plus vraie.

— La nuit est insolite.

— C'est parce que le corps change de rythme.

— La nuit, il faut surtout attendre que le corps change sa trajectoire dans l'univers. Qu'il se meuve de manière à ce que tous nos sens puissent transiter librement. Capter le grand vide. Quel âge avez-vous?

— J'espère ne jamais devenir comme les autres.

— Comment savez-vous que vous ne l'êtes point devenue?

— Je sais.

— J'ai soif. Il y a longtemps que vous avez fait tatouer ce papillon sur votre épaule?

— Un mois. Cela me donne de la force pour affronter la réalité. Cela me donne des ailes. Je suis Sagittaire. Cela me donne l'impression que quelqu'un a posé sa main sur mon épaule, m'a regardée, m'a instruite.

— Vous a instruite de quoi? Vous voulez vraiment qu'on vous instruise de la vie?

— Vous avez sans doute désiré cela un jour.

— J'ai fait mon chemin. Je ne dois rien à personne.

— Croyez-vous que c'est là manière de trouver la joie?

— J'ai soif. Je passe des heures et des heures à

repousser la soif. À attendre le coucher du soleil. Je passe ma vie à regarder en détail l'horizon. Je n'ai jamais songé au bonheur. Je fonce. Je brame.

— Vous connaissez cet animal?

— Quel animal?

— Le cerf. On dit qu'il est souvent comparé à l'arbre de vie et qu'il symbolise les renaissances. Chez les Pueblos, il représente la rénovation cyclique.

— Mélanie, qu'est-ce que vous me racontez là?

— Ce que j'ai lu. Approchez-vous. Laissez-moi regarder attentivement ce papillon. Le thorax est celui d'un grand sphinx.

— Et alors?

— *Rien.* Pourquoi avez-vous dit que la nuit le corps change de rythme?

— Parce que c'est vrai. Croyez-vous que j'aurais osé vous suivre et vous adresser la parole au grand jour?

— Le jour, je suis loin, au grand loin dans l'immensité. Le jour, je n'ai d'attention que pour la croûte terrestre.

— Vous ne voulez donc point que l'on vous aime?

— Je ne suis pas aimable. Ma soif est trop grande. Mélanie, vous êtes bien jeune. Votre mère s'inquiète sans doute déjà de votre absence.

— Ma mère me connaît. Elle sait que nuit et jour j'éprouve le besoin de filer. D'aller toujours un peu plus loin devant moi pour désenclaver la réalité.

— Je crois que nous nous ressemblons.

— Sans miroir, on ne saurait le dire.

— Je crois que nos yeux savent mieux reconnaître lorsqu'il n'y a pas de reflets.

— Voilà, je suis près de vous. Me reconnaissez-vous?

— Oui, je vous reconnais. Il est vrai que vous êtes sans âge. Vous avez toujours existé. Ne croyez surtout pas que j'invente. Je discerne parmi les signes et les indices ce qui en vous est fait pour durer. Vous n'avez pas à craindre le temps. Seule la vitesse vous abîmera.

— Ne dites pas cela. J'aime vivre vite.

— C'est bien en quoi je vous reconnais.

— La pluie.

— Restez encore un instant. La pluie ne peut qu'adoucir nos lèvres et rendre la nuit palpable.

— La pluie sur vos lèvres est fine.

— «Nous implorons de vous la pluie, le don, l'immortalité*.»

* Veda, 88.

IV

On imagine la scène en écartant le rideau entre l'auteure et la traductrice. On abolit la distance en imaginant les deux femmes assises dans un café. L'une fume et l'autre aussi. Toutes deux aiment composer avec le silence mais chacune ici cherche à comprendre comment la mort transite entre la fiction et la réalité. La langue parlée est celle de l'auteure.

— J'ai craint un instant que vous ne veniez pas au rendez-vous.

— Je suis là. Soyez tranquille, je prends *la peine* d'être là.

— Je n'ai aucun droit. Vous m'êtes antérieure.

— Que voulez-vous de moi?

— Entendre ce que je puis prendre à mon compte. Tout ce que vous me direz sera...

— Utile?

— Nécessaire. Je vis avec ce livre depuis deux ans. Ce n'est que tout récemment que j'ai conçu le projet de le traduire.

— De quoi voulez-vous que nous parlions?

— D'une seule chose: de la mort d'Angela Parkins. J'aimerais vous parler exactement comme j'imagine qu'Angela Parkins le ferait si elle pouvait sortir de son personnage, si elle en était la présence ultime.

— Je vous écoute.

— *Pourquoi m'as-tu mise à mort?*

— *Tu vas vite, Angela, tu vas trop directement au cœur de l'essentiel. Ne préféres-tu pas que nous parlions d'abord de toi ou de moi, quelque part que nous retrouvions les paysages familiers de l'Arizona?* (Silence.) *Soit, si tu le veux, nous pouvons dès maintenant parler de ta mort. Mais avant, jure-moi que tu n'as rien vu venir. Jure-le-moi.*

— *Vu venir quoi? L'amour, la mort? Vu venir qui? Mélanie ou l'assassin?*

— *Vu venir la réprobation.*

— *Quoi! Tu m'aurais punie de ce que je suis.*

— *Je ne parle pas de toi. Je parle de tout autour de toi. L'œil. L'intolérance. La folie. La violence.*

— *Alors je n'ai rien vu venir. Certes, je me suis vue perdue, éperdue, farouche et minotaure, ivre et arrogante, joyeuse et cavalière, nostalgique et amoureuse mais je n'ai pas vu venir la folie de cet homme.*

— *Tu le connaissais pourtant.*

— *Je le connaissais de réputation. C'était un inventeur, un grand savant, mais comment aurais-je pu penser que cet homme portait en lui une telle haine?*

— *Tu n'as rien remarqué dans son allure, dans son regard?*

— *Il avait l'air normal. Il avait l'air d'un client normal. À vrai dire, je ne l'ai pas remarqué. Tout mon être était dans le rythme qui me rapprochait de Mélanie.*

— *Alors, je vais te dire. Je vais tenter de te dire pourquoi tu es morte aussi soudainement, absurdement. Tu es morte parce que tu as oublié de regarder autour de toi. Tu t'es trop vite affranchie et, parce que tu t'es crue libre, tu n'as plus voulu regarder autour de toi. Tu as oublié la réalité.*

— *Tu aurais pu m'aider, me faire signe.*

— *Il est vrai que je t'ai crue à l'écart du danger et des aboiements. Je t'ai imaginée passionnée et capable en cela d'éloigner le mauvais sort. Je t'ai crue plus forte que la réalité.*

— *Mais imaginant la scène, tu aurais pu en changer le cours. Tu aurais pu faire ricocher la balle ou me blesser légèrement.*

— *Non. C'était toi ou lui. Car si cet homme t'avait seulement blessée, tu te serais retournée contre lui avec une telle fureur que c'est toi qui l'aurais mis à mort. De toute manière, ta vie aurait été gâchée. Légitime défense ou non. Cet homme, ne l'oublie pas, avait bonne réputation.*

— *Tu oses me dire que pour me protéger contre cet homme, ce fou, tu as préféré m'éliminer.*

— *Je ne t'ai point tuée. Cet homme t'a tuée.*

— *Mais cet homme n'existe pas. Tu n'étais pas obligée de faire exister cet homme.*

— *Cet homme existe. On pourrait le comparer à un fil de fer invisible qui tranche entre la réalité et la fiction. En t'approchant de Mélanie, tu as voulu franchir le seuil.*

— *Je te tiens responsable de ses actes. De ma mort.*

— *Je ne suis pas responsable de la réalité.*

— La réalité est ce que nous inventons.

— *Ne sois pas cruelle envers moi. Toi qui connais la solitude, les extases et les tourments. Toi et moi n'avons jamais pensé à nous protéger. En cela, nous avons fait longue route mais la réalité nous rattrape tôt ou tard.*

— Je peux vous reprocher ce qui existe dans votre livre.

— De quel droit?

— De vous lire me donne tous les droits.

— Mais traductrice, vous n'en avez aucun. Vous avez choisi la tâche difficile de lire à rebours dans votre langue ce qui dans la mienne coule de source.

— Mais lorsque je vous lis, je vous lis dans votre langue.

— Comment pouvez-vous me comprendre si vous me lisez dans une langue et transposez simultanément dans une autre ce qui ne peut adéquatement trouver place en elle? Comment croire un instant que les paysages qui sont en vous n'effaceront pas les miens?

— Parce que les paysages vrais assouplissent en nous la langue, débordent le cadre de nos pensées. Se déposent en nous.

— Je me souviens un jour d'avoir acheté un livre de géologie dans lequel j'ai trouvé une lettre. C'était une lettre d'amour écrite par une femme et adressée à une autre femme. J'utilisais la lettre comme signet. Je la lisais avant de commencer ma lecture et après l'avoir terminée. Cette lettre était pour moi un paysage, une énigme dans laquelle je m'enfonçais à chaque lecture. J'aurais aimé connaître cette femme, j'imaginais le visage de celle à qui la lettre était destinée. C'est à cette période que j'ai commencé à écrire le livre que vous voulez traduire. Oui, vous avez raison, il y a des paysages vrais qui nous détachent du bord et qui nous font entrer en scène.

— Je crois qu'il y a toujours une première fois, «une première fois où il faut convenir que les mots peuvent réduire la réalité jusqu'en sa plus petite unité: l'évidence». Vous vous souvenez de ces mots?

— Non, mais je crois que celui ou celle qui a dit cela avait raison. Je suis lasse. Avez-vous autre chose à me demander?

— Je voulais surtout vous entendre parler de la mort. Mais quoi qu'il arrive nous sommes seules, n'est-ce pas?

— Tenez-vous-en à la beauté, n'ayez peur de rien. Amortissez en vous les bruits de la civilisation. Sachez soutenir l'insoutenable: le cru de toute chose.

DIMENSIONS

LE DÉSERT

Avant tout, soutenir le regard. Vide, horizon ou lumière, c'est le mot *anatomie* qui résume ici l'apparence des choses comme une intuition prolongée de la présence de l'humain, capable parmi les formes de soutenir toutes les comparaisons. On dirait ralenti de l'énergie là même où c'est sans limite, instantanéité parfaite de la subjectivité. Affronter la durée. L'immobilité comme une saisie de la raison dans l'espace nu. L'irradiation des corps, le moment enfin venu de durer.

Depuis que je relis ce livre, je suis ancrée au point zéro, envisageant mille stratégies et points de vue qui ont tôt fait de se dissiper, abstraction, abstraction, le regard fond. Pourtant le désert comme un commentaire arraché à la réalité, une excroissance de l'espace capable de dérouter tous les silences, d'éponger la beauté, d'y engloutir la raison, le désert progresse.

Faut-il contrefaire ou résister à ce que Laure Angstelle a voulu du désert exposer comme un avertissement, une circonstance engageante? Je suis liée par chacune de ses propositions et pourtant je dois du désert extraire tous les scolies, le moindre signe de vie, la lumière hardiment dans le regard, cela pour mon propre entendement.

Si je laisse libre cours à mes pensées, me sera-t-il possible d'imaginer le désert au loin comme une coupe transversale de la fragilité et de l'endurance, de parfaire cette coupe jusqu'à ce que des profils en sortent, évoluent dans la narration, apprivoisés comme une chaleur, une intensité ponctuée de frayeurs et d'extases?

Non, je ne suis pas libre d'oublier *le Désert mauve* quand bien même il en irait de mon propre équilibre. Je suis au milieu d'une partition où je dois tout à la fois m'engager sans parure et répondre des images avancées par Laure Angstelle. Pourtant au moment où j'écris ces mots, c'est la partie «grappe de fleurs» qui se déverse torrentielle dans mes pensées. Ce sont des lacs salés tout en reflet qui surgissent, surfaces givrées de la beauté.

Oui, me voici au cœur de l'émerveillement et de la déroute, parmi les minéraux et les bêtes fanatiques, entrée dans le paysage aride et solaire qui s'étend, ébauche discrète comme un rire plein d'usages. Tout est en moi disposé à la solitude qui polarise la civilisation et le réel. Car ce qui tamise ici le regard veille à restreindre le bluff, le spectacle. Ici point de vertige. Tout est séjour comme si le corps s'apprêtait à durer éternellement, scorie, sel, ossature, sans autre tragédie que la soif et l'air tremblant qui corrige la géométrie des grands *saguaros*, leurs petits bras comme des bornes routières au loin. Ici dans le mauve, j'oublie. J'oublie la littérature et la civilisation. J'oublie les sourires de la Renaissance et l'ambiguïté du mot passion, la lourdeur des membres, les têtes renversées au regard extasié, la douleur et les inclinaisons puissantes qui remembrent les émotions. J'oublie le danger. La tournure des événements. Le danger qu'il y a à vouloir tromper la réalité. Je donne entièrement du corps dans l'espace ne sachant que trop que cela ne peut durer car je ne suis pas libre d'oublier Mélanie, *ses manières de faire*, le mouvement de ses pensées, la vitesse qui la grise, qui lui ouvre un passage sur tout ce qu'il est permis d'imaginer du désespoir, de la violence, de l'anonymat et de la couleur comme un climat probable dans la végétation.

Qu'est-ce donc que le désert? Pourrais-je m'obstiner longtemps à vouloir le décrire, à le désirer tantôt fureur de vivre, tantôt extinction uniforme de l'espoir ou belle quiétude?

Effacer les traces de l'humain, fasciner par ces mêmes traces, la dérision, le calcul approximatif de l'espérance de vie d'une canette, d'une carrosserie à moitié ensablée, d'un panneau de signalisation à la croisée de deux sentiers. De la disparition, traces, traces entassées. Le calcul exact des langages aboutis dans l'espace comme une explosion.

Terre, poussière, un paysage sans fenêtre, sans abri. Terre observée du silence, beauté antérieure, le désert est indescriptible.

L'AUBE

L'aube est ce qui commence, distorsion de la nuit, étrange coloration du sentiment, une version consignée de la lumière. On dit lueur, lueur d'espoir et quand cela effleure la pensée, c'est que les yeux sont fin prêts aux petites apparitions qui font renaître le quotidien. Chaque matin, l'aube blanchit le monde de tous les bruits violacés.

L'aube est discrète. Elle pourvoit tout naturellement aux profils des choses, découpe pour nous la réalité, prépare le spectacle pendant que dans nos yeux les fondus enchaînés se succèdent jusqu'au lever du soleil. L'aube expose. L'aube matière colorante qui assigne au recommencement. Aube, chaleur latente.

«Oui, j'ai vu l'aube. Souvent.» L'aube de la cérémonie de l'encens. L'aube l'été, l'aube l'hiver. L'aube des jours d'examen. L'aube des décalages horaires quand la pensée hallucine, que la mémoire se coagule comme une substance étrangère au corps et que les yeux se dessillent lentement sur des villes tout en architecture dans le matin violenté, baroque. Et aussi cette aube qui vient après que

la nuit s'est embrasée d'un trop plein d'énergie et que soudain la vie s'est mise à ressembler à des musiques lentes qui
longent le corps tout entier et l'emportent.

Mais voit-on vraiment l'aube quand on laisse à la nuit
le soin de s'avancer dans nos vies à ce point que la lueur du
jour s'effrite dans nos yeux comme un lendemain frileux?
Peut-on dire qu'on a vu l'aube lorsque c'est déjà matin et
que dans le taxi blafard qui nous ramène à la maison, l'œil
capte la longue forme colorée d'un travesti, le regard fou
d'un *junkie*, des mains gerçées, un pantalon taché d'urine?
Voit-on l'aube quand il n'y a plus de contexte et que nos
sens broient du vide appelant le sommeil, d'autres artifices
pour enrober le corps?

L'aube attire, cela est certain, l'aube fascine. Elle est
au bout de la nuit, au bout de l'âme une certitude tranquille, un apaisement des yeux épris de changements et
d'utopies. L'aube se mérite.

Était-ce cela, vouloir l'aube, que Mélanie avait intui-
tionné quand dans le *Red Arrow Motel* le goût de l'aube
s'était violemment fait sentir en elle, goût radical comme
un projet de perdition ou une volonté de disponibilité
totale à tous les dérapages de l'esprit? Besoin de l'aube,
désir de défier la nuit, construisant au fil des heures des
arguments, des choses émaillées tantôt lisses tantôt kaléi-
doscopiques donnant sur des jardins multiples ou pouvant
sans avertissement conduire à l'euphorie. Vouloir l'aube,
c'était se frayer un chemin parmi les intuitions furtives qui
ne s'ouvrent qu'à la nuit, c'était espérer en connaître le
secret dont le sens échappé à la lumière du jour ne pouvait
qu'en ranimer l'attrait. Ou peut-être Mélanie avait-elle
pensé qu'un peu de persévérance lui donnerait l'énergie
de comprendre comment le temps peut, la nuit, se dislo-
quer au fond des êtres et faire éclater leur histoire.

Tout ceci, je le note en me fiant à mon instinct car
je ne sais vraiment comment distinguer entre «le goût
de l'aube» de Mélanie et la volonté d'en finir de Laure

Angstelle. N'y a-t-il pas dans ce qui affirme que «l'aube est un principe qui exacerbe l'énergie» une mise en garde, un présage de violence, un *terme* projeté?

Je ne peux souscrire à «la fureur de l'aube». À mes yeux, l'aube se détache comme une image sur un fond d'humilité. Un grand calme, certitude tranquille. Oui, quiétude. Un chant composé de monosyllabes parfaits et ronds qui dans la bouche font comme une horlogerie, rondeau, rose, une giration de la couleur, qui sont dans la bouche girasols, cailloux, pierres précieuses, un écoulement de la ferveur dans le temps à l'heure tranquille où la rosée se dépose toute en odeur sur le feuillage jade.

L'aube attire. On peut la qualifier d'«innocente» ou pleurer en rattrapant l'affirmation; à l'aube, on peut facilement avoir l'intention de disparaître, de glisser son corps dans l'envers de la lumière, en douceur.

LA LUMIÈRE

Faut-il à nouveau soutenir le regard, orgueilleusement prétendre qu'on le peut ou imaginer la lumière comme une vague encouragée de la chaleur sur la peau, une intensité qui rend les corps translucides, capable de filtrer les poings froids et fermés que nous levons vers le ciel? Car en pleine lumière, notre corps tout entier se dresse, aura de l'être ou animal fabuleux, doué de splendeur et d'ingéniosité.

Ainsi dans le désert la lumière travaille, dématérialisant la réalité, laissant notre regard captif de ce qui fut, hanté par «l'aspect final de la matière». La lumière travaille sans prendre de précaution et c'est pourquoi nous cherchons quand elle dissout le corps un centre de gravité qui n'est plus. Convenir alors que même en plein désert le vertige peut, menaçant notre verticalité, nous obliger à corriger notre équilibre ou à nous soumettre sur le sol platiné de reflets à une fièvre erratique.

La lumière est traître et tout à la fois crue. On peut en observer le cheminement sur les peaux mais aussi perdre le sens de la réalité quand elle traverse la conscience, brutale, sans rémission, éloignant les points de repère et tout à la fois capable de les figer dans l'éternité. La lumière brise le regard, renvoie le regard, le remercie. Personne n'échappe au remerciement.

Dans le désert, la lumière meurtrit la réalité, déchire en tous sens le tissu fin des couleurs, supprime la forme. Nous n'avons pas de protection contre la lumière car c'est toujours en plein émerveillement que la lumière assaille et soustrait à notre regard le rapport infiniment précieux que nous avons à la réalité. Ainsi, au moment même où nous nous croyons en pleine possession du réel, voici qu'il éclate sous nos yeux, retombe sur nos épaules, joug de jade.

La lumière est crue. Comment pourrais-je déserter Mélanie? Comment entrer dans l'angle de son regard et m'éviter la lumière? Comment oublier l'instant? Car c'est bien là l'histoire de ce livre. L'instant porté par un seul symbole: la lumière. La lumière écrasant toute perspective. La lumière tissant l'enjeu. Aucun livre ne peut s'écrire sans enjeu. Enjeu de vie, enjeu de mort, je ne sais encore. Mais aucun livre ne s'écrit sans enjeu, brutal et immédiat.

Tout ceci je l'écris en pensant le personnage et l'auteure songeant leur existence comme une chose attirante dans la vie, une souplesse du corps, un rythme dans la chair, un carnaval multipliant les aubes, les soies et les os dans un costume que la lumière embrouille.

C'est ainsi! Et aussi cette image imprévue de la lumière: il y a la fille et la mère, il y a deux chevelures, dans l'une un petit peigne argenté, son chatoiement puis à la réflexion, les angles miroités se courbent, arc-en-ciel, allant de la mère à la fille, fil de soie, lien ancien qui ravive la souplesse des cheveux, la force du cheveu. Précarité de l'image. Vitesse.

«Lumière rapide.» Là où je suis, la lumière penche la réalité du côté froid de l'hiver. La lumière est un intervalle court qui garde les démons à distance. J'apprivoise à distance. Je suis à côté. Je profite de l'incertitude, de l'ambiguïté à laquelle je sais ne pas pouvoir échapper: ma froide sensibilité contre la sensibilité excessive de Mélanie/Laure. Affrontement, validation. Question de *traitement*. Erreur probable, «transcription partielle de la lumière au fond du cerveau». Le regard fond. La lumière persiste, aveuglante, balaie toute intimité, recommence à frôler dangereusement le temps, les tempes.

«J'appuyais sur mes pensées pour qu'elles penchent la réalité du côté de la lumière.»

LA RÉALITÉ

La réalité est ce que nous retrouvons par un incalculable retour des choses imagées, comme un sens familier disposé bien distinctement dans nos vies. Mais à tout cela il y a certainement, pensons-nous, un autre sens, une autre version puisque nous en rêvons comme d'une musique d'accompagnement, une voix centrée capable de nous livrer un passage, une petite ouverture. Une voix qui puisse, à égale distance de l'origine et de la mort, activer les hypothèses, adapter la parure, ajuster les plis, l'ornement, l'anecdote qui en découle comme un ouvrage, régler le mouvement alternatif de la fiction et du vrai.

La réalité *ça compte vraiment*, aussi nous adonnons-nous «petit feu de passion qui prétexte» au plus pressant de la biographie et, est-ce qu'on se trompe, on dicte à la voix des syllabes en trop qui nous font perdre le sens, qui défont l'ouvrage commencé de la voix. Mais on prend le risque, on plonge *tout naturellement* dans la réalité comme s'il s'agissait d'une catégorie valable, d'un paysage adéquat.

En pleine réalité, on la constate sans prétention toute en odeurs et nourriture; un peu de poisson, la viande, volaille, une gousse d'ail, tout cela étalé parmi les couteaux sur la table de cuisine. Fraises, framboises dispersées, petits motifs dans le coloris du tablier. Les vendredis d'émotion, boisson fraîche, bouquet de fleurs dans un grand vase. La réalité est ponctuelle, toute en actualité, calendrier, belles photos, décembre un chien, janvier une chèvre, mai un papillon. Parfois à l'année longue, des filles nues écartées entre dimanche et la fin du mois. La réalité moule le corps, serre autour du cou, à la ceinture, taille dans le blanc, le bleu, le rose et le noir de belles formes; vieille coutume le costume. La réalité défile linéaire, longe les destins, accouple les mâles et les femelles dans de grands lits métaphoriques. La réalité file son chemin, énumère des noms de villes, des familles au complet, dénombre les morts, décline les beaux jours, la saison, les incidents. Percute. Recommence, encore faim, encore soif, encore un matin gris grégaire. Sans prétention, la réalité se promène Geiger au poing. Ça compte la réalité!

«Un jour je sortirai de la réalité», trouverai un filon, une *veine*, la petite ouverture dans laquelle il me faudra *obligatoirement ralentir*, réduire l'intensité, la vitesse de l'image. Tout refaire, corps, poids et volume, longueur de l'hiver, nature et représentation, carcasse de l'esprit.

D'ici là, je dois donner un sens à tout cela par quoi j'existe. *Le Désert mauve* est un accident. Rien de tragique mais comme toute chose qui surprend, qui concourt à modifier le décor familier, l'habitude froide, ce livre m'assigne d'autres tâches. Par exemple, *isoler la réalité*, oui, l'insonoriser comme une pièce dans laquelle je pourrais m'adonner aux plus concrètes aventures de l'esprit en compagnie de Laure Angstelle et de ses personnages. Aucun bruit familier ne viendrait tromper ma perception. Certes les objets seraient les mêmes: la bibliothèque, une grande affiche du Sonora en fleurs, mes trois cactus, le lit, le téléviseur, le cendrier, la fenêtre givrée, mais rien de tout cela ne pourrait me distraire au point d'éveiller en moi quelque souvenir. La réalité serait condensée au point maximum. Je pourrais la sentir sur ma peau, suivre parfaitement la conversation entre Mélanie et sa mère, entendre tout ce que dit l'annonceur à la télévision. La réalité serait tout à fait palpable, concrète, dense. Les couleurs seraient précises, les mots utiles, univoques. J'observerais Lorna, sa démarche, ses bras musclés, un sourire, je crois. Enhardie par la présence des femmes, j'irais même jusqu'à raconter un peu de ce qui se passe dans ma vie, comment je prépare mes cours, la beauté de l'automne, les après-midi blancs de l'été, le tennis, mes partenaires, mes adversaires, les balles perdues. Ma fébrilité serait grande.

Or, nous qui aimerions isoler la réalité de la fiction, nous qui aimerions que ça compte vraiment, nous voici, par un incalculable retour des choses imagées, à nouveau parmi les bruits familiers, à égale distance du hasard et de la finalité.

LA BEAUTÉ

Un fléchissement, une chute de tonalité, un bris dans le rythme, on peut penser que la beauté s'apparente à des signes esquissés admirablement pour nous surprendre. La beauté inévitablement courbe le souffle, harmonise le vide, *soudain* les parfums qui se succèdent, la pupille, on verra, se dilate, les paupières se ferment quand même. La beauté comme s'il n'était plus question de vivre. Le moment précieux. Surface givrée. La conscience éperdue.

On peut aussi imaginer cette souplesse inconditionnelle que nous avons devant la vraisemblance, cette apparence soutenue de la volonté d'être, malgré le froid, malgré tout, la beauté, car nous le pensons parfois, la beauté voisine les sensations les plus désagréables, voisine les plus rudes façons de vivre et de parler.

La beauté, je ne sais comment dire, pourtant, dit-elle, «la beauté empiète sur les êtres». Je ne sais comment traduire cette intention, peut-être du bonheur, peut-être de la nostalgie ou de quelque autre sentiment qui pourrait, à un moment donné d'une vie, se confondre à ce point avec la joie que telle on la dit goût d'éternité.

Dans la distance éclatée, la beauté remue, figure impossible de l'attouchement. Labelle fragrant.

«La beauté est avant la réalité», d'une antériorité polysémique, impensable, trop pacifique pour nos yeux abrégés dans la distance, incapables au loin de penser sans coupure, fragment, histoire, différence. Le corps ballotté des femmes au loin, histoire, différence. La beauté précède le désir, son fragment, l'histoire, la coupe transversale de la réalité et de la fiction. La beauté *fata* de mémoire.

«La beauté est avant la réalité.» Peut-on réellement penser que la beauté puisse être antérieure à toute réalité, *paradis perdu*, sans risquer la coupe des phrases et l'inflexion de la voix obligées, de succomber à l'attrait certain de la nostalgie et de la ferveur croisées: une prière soutenue. L'homme, on le sait, connaît la prière, la prière est son élévation mais se pourrait-il que, par autres détours et passions de l'âme, Mélanie soit *parvenue* en toute innocence et intuition à la même résonance de l'être? Faut-il penser que toute intuition radicale de la beauté renvoie la pensée à ce poing serré de l'imagination agenouillée, superbe d'instinct? Faut-il penser que c'est là routine imposée à quiconque penche violemment du côté de la lumière? Faut-il risquer que la superbe explose, beauté froide de l'hiver, «il neige dans l'éternel»?

Beauté froide de l'éternel, la beauté intimide, je veux dire qu'elle menace suprêmement comme un langage masqué. Car cela qui prend forme dans le chaud du ventre de l'espèce se transforme, langage, bris, miroitement, séduction: la beauté, angle de réflexion, neurone sélectif, langue à la source.

Il arrive aussi qu'à l'occasion on puisse penser que la beauté n'a que faire du regard, qu'elle néantise les comparaisons, essouffle les corps souverains car la beauté ne s'aborde pas avec un instrument, fût-il notre regard à l'extrême de sa précision. La beauté saborde les motifs, la fureur de vivre, attend le moment creux où sans fin l'équation de vie surprend, nivelle au bout de l'affirmation la queue de lettre tendue.

On pourra penser tout ce que l'on voudra, la beauté achève en nous l'intime, oui, menace suprêmement comme un langage froid. Sans coupure, sans interruption du sourire, sans dénouement. La beauté procède.

LA PEUR

La peur est une réalité qui encombre la fiction car sans elle nous jonglerions avec nos vies bien au-delà de la leçon.

La peur mobilise les espoirs et l'énergie, au nom de qui, au nom de quoi? On dira la peur est individuelle, on dira la terreur est collective, on dira précisément l'inverse, la peur demeure une forme qui percute la fenêtre. Blessée, la peur cogne, bandée, la peur épouvante. La peur est pour toute femme un signal de repliement. Ce n'est pas sa limite, c'est dans sa tête une manière «creuse» de vigilance qui se forme entre la subjectivité et la réalité: une poche d'eau dans le regard qui rend le monde flou, pochade. La peur empêche.

On dira qu'une «trop grande sensibilité» arrime la peur au corps et qu'alors toute expertise devient impossible, ne fait que plonger la conscience dans l'affolement comme si *les images*, ô multitudes apparues, stupéfiantes installations, allaient soudain sur nous s'adonner à quelques prélèvements du moi.

La peur renvide les catastrophes, au bas du ventre, la contorsion. Il faut voir aussi le laisser-aller du visage: la grimace, la singerie absorbée par les membres sans repos. ça épie. La bête renifle derrière l'écran du téléviseur l'odeur de bonne cuisine et de chair. La bête est insaisissable, nuit, métal, masque, «la peur luit dans la forêt pétrifiée». On dit alors qu'un vent de panique s'abat sur toute la région, au cœur et que le corps s'épuise au grand complet, s'essouffle, l'haleine et la sueur confondues. C'est rien! Peut-être n'y a-t-il rien qu'un rythme de croissance, un rire, un nerf soudain, une trop grande sensibilité. Une torsion des traits qui accélère le temps sur les visages.

«Ma mère parlait de la peur. Une peur lente, une peur blême» comme si la peur était capable de manœuvres parmi les fluides du corps, comme si de la peur pouvaient naître des sensations insolites, habiles au creux du ventre à embraser le sentiment, à nourrir l'excitation. Cette peur est inconnue de la plupart. C'est une peur dont on entend parfois parler et qui, dit-on, rend les femmes attentives aux sons surprenants que leur voix peut produire quand elles cherchent d'un même souffle à refouler la peur lente et l'attirance certaine qui, telle une inconvenance ludique et poignante, les traversent sans qu'elles n'aient de mot pour comprendre. C'est une peur incongrue qu'on voit surtout dans les îles, lorsque les îles commencent à prendre forme en nous comme un espoir qu'il faut apprendre à distinguer.

Mais autre peur, autres mots: «la peur pénible». Est-ce bris de ferveur ou ce qui contraint les sens, leur distribution sur la peau toujours prête à plus, les plis que l'on voudrait ouverts, lèvres parlantes sans que personne ne puisse s'attrister de la civilisation? La peur qu'il y a parfois à écrire comme si le réel allait s'en trouver renforcé, *ragaillardi* par des réparties, qui secrètes animent le beau souffle de vivre, qui dévoilées iraient dans la distorsion du sens achevé prendre place à côté des objets tranchants que nous utilisons pour la tâche quotidienne de vivre. La peur est étrange. Elle s'apparente aux objets que nous prenons dans nos mains, certains moins laids que d'autres, moins opaques, plus légers. Alors la peur glisse sur notre peau, rafraîchit la paume, donne momentanément l'impression que les créatures tombées dans notre regard vont pouvoir enfin se retirer sans que nos traits ne soient soumis à la torsion. Librement jusqu'à ce que: raptus.

La peur, on la dira comme la honte, bien inutile. On dira «ça ne fait rien quand on accélère» croyant qu'il suffit de dissimuler derrière l'écran les signes déréglés du désir, de reporter la menace au bas de l'écran, *simulation*. On verra un peu de neige. On croira qu'il suffit, à la ferveur de la nuit, de rétablir *la parole*. Mais la peur, il ne faut pas se le cacher, est aussi répandue que paroles d'hommes.

LA CIVILISATION

Il est un temps de croyance où nous affinons les gestes naturels qui nous rapprochent de l'image, d'autres qui nous relancent dans le discours et la précipitation. Ce temps de croyance est un temps de civilisation, une certitude de l'être qui emplit le hasard d'architectures et d'explosions de voix. «L'inexpérience de mourir*» est pour toute civilisation une forme d'*empressement*. Une belle spontanéité capable de calculs qui refoule, sans autre avertissement que métaphore hallucinée, la nature en nous. Or la nature on la dit partout car sous notre crâne, elle exagère, brode, bluffe, entasse mers, canyons, forêts et déserts, des aubes somptueuses, des orchidées sans nom. La nature nous remercie. Alors nous nous occupons à la réponse cherchant dans la langue des instruments propices à nous détourner de la nostalgie qui n'en finit plus d'œuvrer parmi les décors les plus extravagants. Pourtant la civilisation est toujours bien simple: une femme, une nais-

* Maurice Blanchot.

sance, des engins, la mort. *Le truc.* «Les mères sont fragiles comme la civilisation», dit-elle.

Il est aussi un temps de croyance qui absorbe toutes les paniques, ce temps nous l'appelons *temps de végétation* ou, si l'on préfère, *temps d'animation*, une contrepartie sémantique de ce qui se languit, à la limite, on pourra parler d'une *cristallisation* des engins, exactement comme si on voulait signifier la transparence dure et un temps très court, *soudain*, entre l'attraction et la répulsion, une indifférence qui nous surprend.

Au repos, nous aimons penser que la civilisation est un sablier, une horloge, un quartz capable de nous donner le temps, un sous-verre qui protège contre l'habitude des cernes. Au repos, nous aimons le chien et la détente. Nous aimons bien la démographie et parfois quelques soupirs. Au repos, la civilisation nous porte à l'image, à certaines moqueries propices au dénouement, la nuit venue, de quelques fictions. Alors nous rêvons de nos gestes comme s'ils pouvaient nous dissuader de la mort.

En théorie, la civilisation est un modèle valable pour beaucoup de conquêtes et de conversions. Lettre chargée, elle accomplit des merveilles, dessine de beaux destins. C'est, dit-on, sa surface d'influence, sa *façon*.

Mais là où je suis, accouplée à la voix de Mélanie, l'humanité et la civilisation forment deux mots, une maladresse, un écart sémantique, un décalage qui blesse, une taille de l'horizon qui renvoie les versions, le versant du regard dans les choses bousculées du désir et de l'aube. Là où je suis rendue, la neige encore, côté jardin, la pluie sonore comme une transposition de l'effet, la pluie rend mon corps soumis, mes pensées braquées sur l'horizon.

Là où je suis rendue, on peut affiner l'espoir parmi les rayons drus de la lumière.

UN LIVRE À TRADUIRE

(suite)

Il y avait maintenant plus d'un an que Maude Laures préparait *son manuscrit*. Ce matin le ciel était bleu. Deux ou trois nuages, petites béances au loin. Maude Laures ouvrit le réfrigérateur, se servit un Coke. Puis elle eut envie de partir, de prendre la route vers Québec. Le fleuve serait beau et grand sous la lumière crue de mars.

Maude Laures retourna à sa table de travail, prit le livre, enleva l'élastique qui retenait les pages décollées. Toutes les pages étaient annotées, ici le bleu *polysémie*, le vert *piste sonore*, le rouge *à vérifier*, le noir *incompréhensible*, le jaune *familier*, le rose *quel genre?*, le mauve *quel temps?* Dans les marges, des attentions qui pouvaient passer pour des remarques à la mine. Parfois un dessin pour faciliter la représentation.

au bas de la page **éliminer tous les** *comme* **si possible**

Maude Laures mit ses lentilles, s'apprêta devant le miroir. Elle eut soudain le sentiment qu'elle allait bientôt n'être qu'un instrument de résonance. Elle se vit tour à tour lyre, théorbe, viole. Le mauve se décomposa, fut recomposé, palimpseste, dans ses yeux, un air.

Elle ouvrit le tiroir, en sortit une chemise blanche, s'habilla, regarda un peu de réalité par la fenêtre, confondit dans sa tête se révolter et revolver, retourna devant le miroir, mit un peu de rouge sur ses lèvres, puis alla s'installer devant le téléviseur silencieux. Alluma un petit cigare.

Le lit était douillet. Elle se réveilla à midi, furieuse
contre elle-même comme si elle eût été une coulure noire
dans la lumière. L'affiche du Sonora était en fleurs, les
chemises pêle-mêle sur la table. Des coupures de journaux.
Des fiches et des définitions comme autant de déflagra-
tions dans le consentement. Maude Laures se leva, entrouvrit les rideaux. Le jour rutilant entra dans sa tête. Elle se
pencha, ramassa une enveloppe, pensa que l'horizon était
comme un grand nu de femme bien tentant pour les yeux.
Puis elle recommença comme à tous les jours, penchée au-
dessus de sa table, l'œil strict et la main tendue vers les
mots qui pouvaient être rescapés du désert, à patrouiller
l'espace imaginaire de Laure Angstelle. Elle pensa «cela
frôle le vide», eut peur un instant puis refocalisa sa pensée
sur «douille et toutes les armes».

«Lorsque deux mots sont identiques, il ne faut pas t'en formaliser outre mesure ou te croire lésée d'un choix. La simplicité est belle patience du sens.» Maude Laures éprouvait parfois le besoin de se répéter à voix haute quelques recommandations. Il arrivait même qu'elle interrompe son travail et que, les baguettes en l'air, elle s'adonne au beau milieu de sa chambre à de longues joutes oratoires. Les mots volaient haut, volaient bas, elle les attrapait, lançait, relançait. Elle avait beau jeu, les papilles enflammées. Le dictionnaire, tant pis! Langue de feu, laïusseuse. Lai.

Les mots étaient dans la bouche comme de petits noyaux «la partie la plus dure et la plus brillante», une présence, un corps solide qu'il fallait après un certain temps rejeter en avançant la langue comme pour une amorce de grimace, puis d'un souffle, projeter devant soi la partie indivisible. Entre les dents, il ne restait alors que la chair et la saveur, partie comestible, une bonne denrée quotidienne. Mais un mot tout entier, on pouvait aussi le cracher.

Maude Laures aurait aimé partir pour Québec. Faire un peu de route car elle pensait que l'image répétée de l'autoroute pourrait servir le long des tempes à quelques comparaisons, compenser son inexpérience de la vitesse et du délire. Car ici, pensait-elle, ici, il n'y a rien pour enfiévrer l'imagination. L'imagination est tout entière consacrée à nous sortir du doute et du froid. Cependant Maude Laures persistait, elle se voyait au volant, plissant les yeux pendant que clôtures, baraques et silos surgis de la neige fondante et de la boue luisaient enfin dans le lointain comme des comparaisons, de petits palets qui lui rappelaient des gestes d'enfants habiles sur la surface du fleuve à faire ricocher des cailloux.

Aussi ce jour-là, elle travailla jusque tard dans la nuit au mot *ricocher*. Ricocher était en effet un mot qui pouvait sauver bien des situations: «son regard et sa pensée ricochèrent, la balle ricocha et ne l'atteignit point, la balle ricocha sur une chaise, alla se perdre dans le téléviseur, la lumière ricocha sur le pare-chocs, la conversation ricocha sur un mot».

Dans la marge, il n'y avait plus d'espace et Maude Laures se mit à cocher d'autres mots qui pourraient dans sa langue relancer le sens et lui éviter d'affronter la fin brutale d'Angela Parkins.

Encore une aube. Il fallait s'attendre au printemps. La lumière empiétait de plus en plus sur la réalité comme s'il eût été question de lui donner un sens global ou d'exposer la matière comme une nouveauté quand vient le temps de s'adapter et que les corps suggèrent des saveurs raffinées, vont d'un pas satiné, beau ralenti de l'image, à la rencontre de quelques universaux.

Trajectoire, pensait Maude Laures, trajectoire. Et elle se faisait de plus en plus à l'idée de devenir une voix autre et ressemblante dans l'univers dérivé de Laure Angstelle. Les personnages allaient bientôt se défiler les uns après les autres, devenir de petites transparences au loin, se cristalliser. Elle serait seule dans sa langue. Alors, il y aurait substitution.

Le temps était venu du corps à corps avec le livre. Un temps qui ferait place à l'étonnement devant les choses que l'on ne voit que très rarement, sises à l'arrière-plan de nos pensées. D'une langue à l'autre, il y aurait du sens, juste distribution, contour et rencontre du moi, cette substance mouvante qui, dit-on, entre dans la composition des langues et qui les rend savoureuses ou détestables. Maude Laures savait que le temps était maintenant venu de se glisser anonyme et entière entre les pages.

Plein désert, plein horizon. Au bas du ventre, là où la langue veut, une peur fine et lente commençait à sourdre, à distribuer les tâches.

C'était maintenant le printemps. La lumière était éclatante et on pouvait à nouveau prétendre que les mots iraient, du livre *innocent* au livre traduit, s'acquitter de leur fonction, emportant Maude Laures dans le flot des contraintes, des exceptions et des principes. Maintenant il faudrait, dans le non-dit, jouer serré.

Là où il y avait eu des personnages, des objets, de la peur et du désir, Maude Laures ne voyait plus que des mots. Les mots prenaient le relais, parés pour la capture des sens.

Laure Angstelle

MAUVE, L'HORIZON

Traduit par Maude Laures

Éditions de l'Angle

Le désert est indescriptible. La lumière avale tout, gouffre cru. Le regard fond. Aujourd'hui, pourtant. Très jeune, je désespérais déjà de l'humanité. À chaque jour de l'an, je la voyais se disperser dans l'espoir et la démesure. Très jeune, je filais dans l'auto de ma mère et j'allais vers le désert où je m'obstinais devant le jour, la nuit et à l'aube, à vouloir tout. Je tissais la lumière. Je roulais vite et aussi lentement; je suivais les petits fragments de vie qui s'alignaient dans mon regard, horizon mauve.

Habile, je l'étais au jeu du discernement mais il y avait en moi un désir tel que, sans obstacle, cela m'angoissait comme un trop-plein d'énergie. Alors venaient le rose, le rouge et le bris parmi les pierres le mauve et l'aube lente. Au loin, l'éclat d'un hélicoptère à touristes.

Très jeune, il n'y eut point d'avenir et le monde ressembla à une maison incendiée comme celle qui le fut au coin de la rue par des hommes «étrangers», ma mère le disait, qui leur avait servi un verre. Ma mère pensait qu'un seul parmi eux était armé mais aucune inquiétude ne lui venait car tous les autres avaient les yeux bleus. Ma mère disait souvent que les hommes étaient libres de faire comme dans les livres. Elle terminait sa phrase puis, une fois le malaise passé, s'installait devant le téléviseur. Je regardais son profil et dans mon regard la broche à cheveux qu'elle portait toujours se découpait comme un fil de soie. Son tablier était jaune avec de belles fleurs. Ma mère ne portait jamais de robe.

Je roulais dans la nuit, folle d'arrogance. J'avais 15 ans. C'était exquis comme un grand pouvoir, une manière douce de se perdre dans le noir et mille scènes délirantes aux environs des yeux.

Je connaissais bien le désert, ses petits sentiers et les grandes routes au loin. Lorna, cette amie chérie de ma mère m'avait appris à donner un sens aux images qui tremblent dans la pierre et la poussière. Elle passait de longs moments à me raconter des histoires tout en paysages, pleines de végétations exotiques, me parlait de terres lointaines qui ne pouvaient être comparées au sol de mon enfance. Lorna fabulait. Je devinais que quelque part en elle une étrange passion la poussait à inventer des noms de bêtes, à rêver de couleurs impossibles, à truquer la forme des reptiles. Je le savais car moi je distinguais fort bien le diamantin du corail, les aigles des piscivores. Lorna mentait. Lorna osait dire tant de choses. Ses mots étaient si durs et irréels que j'avais parfois l'impression d'un hurlement quand ils franchissaient tout flamboyants le seuil de sa bouche.

Lorna n'avait pas connu de jeunesse, seulement des filles de sa classe avec lesquelles elle s'acoquinait à l'heure de la récréation. Les filles l'aimaient. Elle aimait les embrasser sur la bouche à la sortie de l'école.

La première fois que j'ai vu Lorna, je l'ai trouvée jolie et j'ai prononcé un mot sale. J'avais 5 ans. Au repas, ma mère souriait. Elles s'observaient et quand elles ouvraient la bouche, il y avait une émotion. Je les regardais attentivement, leurs lèvres surtout, comme si elles avaient été une surface prononcée du visage, un renflement qui animait jusque dans leurs yeux la conversation. Lorna s'émerveilla à propos de la mousse au sommet des montagnes, douce sur les mollets. Mon verre de lait se répandit sur la nappe qui ressembla soudain à une grande carte géographique avec un fleuve qui coula sur mes genoux. Ma mère épongea tout, fit semblant d'un jeu.

Je prenais souvent l'auto de ma mère. Bien avant que tout me soit permis. Sous le soleil, à la tombée du jour et même la nuit, je partais malgré les mots inquiets que ma mère criait et qui retombaient dans la poussière du stationnement. J'ai toujours cherché le désert, car très jeune je voulais tout connaître de la beauté, de la lumière, éloigner la peur et la mort. Je savais que ma mère éprouverait un grand vide mais je préférais aux reflets de la magie dans ses cheveux lisses le reflet brûlant du soleil, la nuit dans les yeux des lièvres, comme une saisie de la vie, m'éblouir. «À moi la violence et l'aridité» et j'accélérais, folle de cette énergie maudite qui me montait à la tête. Un jour je serais *fata de fata, edge on edge,* un jour à l'aube, je serais insensible devant tout, les équations et l'humanité, sa déraison éclatée au fond du regard esseulé des hommes fous. Je roulais vite, émondée de l'histoire, silence torride. Je répétais «tant de fois j'ai abouti dans l'utopie».

La nuit, le désert était beauté, reflet de bêtes vives, éphémère, silence, *senitas.* Sous les phares de la Meteor, l'humanité était un gisement trompeur. L'humanité était fragile sans l'Arizona. *Si fragile.* J'avais 15 ans et ma voix tremblait, impatiente et friable. Je voulais que tout mon corps soit nécessaire. Je conduisais bien. J'étais capable d'enligner en moi la nuit, de me faufiler parmi les ombres. J'anticipais sur tout et cela me délivrait temporairement de l'encombrement et des mots. L'éternité était dans mon cerveau comme une ombre, l'aspect foncé du désir, une musique qui me faisait sombrer dans le décalque des autoroutes. L'humanité était fragile, suspendue comme un univers au-dessus des cités, explosive. Tout était fragile, je le savais, je l'avais toujours pensé. À 15 ans, je prétendais que tout serait fameux. Comme ma mère, je croyais que tout était semblant de jeu.

L'ombre au passage avale l'espoir. Il n'y a pas d'ombre la nuit, quand le soleil est au zénith. Tout est évidence et la réalité nous transit. Mais la réalité est enfermement, petite tombe qui trompe le désir. La réalité est un feu de paille qui prétend. J'avais 15 ans et de tout mon être j'appuyais sur le pan fragile de mes pensées pour qu'elles soient penchant de l'instant, pour que ça compte vraiment la réalité.

Maintenant suivre les indications, la flèche en direction du Motel Rouge. Stationner l'auto. La sueur. Le Bar. La surface polie du bar ressemble à un écran: des femmes et des hommes conversent et dans le décor se répètent comme des ombres sur le mur. On dirait des taches. J'avale ma bière et la vie continue dans le brouhaha*.

* Forme expressive du verbe exister, peut, selon le contexte, être péjoratif ou mélioratif.

CHAPTITRE 1

L'hom'oblong pose sa serviette sur le lit. Il fait chaud dans la chambre. Il défait le col de sa chemise. Il va vers la toilette. Il pense à l'explosion. Il l'imagine et ça ne lui suffit pas. Quoi! Il se souvient des beaux sentiers, de l'automne en couleurs. Il se regarde dans le miroir. Il s'*essuie* les mains. Il pense à l'explosion, il pense à ça et c'est le vide dans sa tête. Il dépose sa veste sur une chaise. Un crayon tombe d'un poche. Il ne le ramasse pas. Il allume une cigarette. Il tâte le rebord de son chapeau en feutre. Il pense à l'explosion. Il caresse des mots ronds qui dans sa bouche forment quelques phrases en sanskrit, des mots qui enchantent, il le sait. Il arpente la chambre. La fumée de sa cigarette forme un petit nuage au-dessus de sa tête. L'hom'oblong connaît la valeur des mots. Il pense à l'explosion. Une seule erreur de calcul pouvait changer le cours de l'histoire. L'hom'oblong s'allonge sur le lit. Des images, puis de blanche à orange la terre devient jade.

— *La mort/Je/suis/la mort* — Je suis un enfant d'chienne. L'hom'oblong s'endort, une petite tombe calculée comme une forme explosive dans son corps.

Je pouvais surprendre ma mère. Elle pouvait me
dérouter. Son pouvoir était grand de morceler mon
regard. Lorsque je la voyais si près de Lorna et qu'entre
elles il y avait juste assez de distance pour que j'imagine en
leur corps une excitation, les images défilaient en moi,
nuque, nudité, épaules heureuses.

J'avance. La bouche béante avalant les airs rock, tout
le rythme, hurlant paroles et vitesse. On interrompt la
musique. Une voix d'homme annonce un désastre, un
tremblement de terre. J'appuie sur la voix et elle se perd
inaudible *tsunami* dans le lointain Pacifique. Je n'aime
pas que ma mère soit seule la nuit. Cela me hante. Les
mères sont comme la civilisation, fragiles devant leur téléviseur, oubliées comme un savoir ancien. Les mères sont
de grands espaces. J'aime rouler violemment vite dans la
Meteor. J'aime l'horizon répété. Aucune peur, aucune
panique ne me vient en pleine nuit ou quand c'est nuage de
sable et que je ne vois rien devant moi. Je m'arrête, je
deviens matière vive; isolée de tout, les mains sur le volant,
enfoncée dans le sombre, j'écoute le fracas du monde
ensabler la carrosserie. Je me soumets, aveuglée. Je
regarde au-dedans du dedans mon cerveau s'avancer dans
le temps, multiplier les secondes, cristaux, créatures
aériennes dans le pli des paupières. Je suis des pistes, la
trace du temps, des triangles, des spirales, autour des rui-
nes, des barkhanes, mobiles. Une fois seulement, une fois

seulement, j'ai vu des mots que je n'ai point su lire. Et les signes se sont aussitôt dispersés comme si au fond du cerveau le corps de la lettre ne pouvait soutenir la lumière, une telle présence.

Je roulais vorace. Je m'exposais à tous les risques pour que la conscience surgisse, violente et continue au cœur de la nuit et du désert. J'avais 15 ans, tout le temps et l'horizon devant moi. Dans l'ossature blanche de ma mère, j'étais vitesse, civilisation, au loin, cité, regard perdu, ruine à rebours. J'avançais, exemplaire de solitude, avec à mes pieds un frein pour empêcher les désastres. Il n'y a pas lieu parmi les serpents et les cactus de désespérer, car la nuit est toujours bleue comme un délire.

Je ressemble à ma mère quand l'humanité en détresse se dresse au loin et que d'un grand rire elle fait blêmir. Ma mère ne pleurait jamais. Je ne l'ai jamais vue s'adonner à un tel désordre. Sans doute ne pouvait-elle songer à la solitude avec exactitude. Pourtant ma mère tremblait quand le bruit des êtres l'assaillait mais elle restait insensible à cette chose froide et myst*érieuse* qu'est la solitude. Dans les moments les plus difficiles, elle décrétait: «Ceci est un mâle, il faut du repos, ceci est une femme, il faut du sens.» Ma mère était austère comme un homme ayant l'habitude de la nature et du danger. Elle n'aimait pas les hommes, mais elle défendait avec âpreté les sentiments aptes à endurcir la pulpe trop féconde de son imagination. C'était une femme dont la voix sans expression pouvait faire écho et soudainement inquiéter la raison, tromper le jugement.

Chaque fois que je pense à ma mère, j'imagine des filles en maillot allongées grands corps nostalgiques au bord de la piscine du Motel. Ce motel, ma mère l'avait reconstruit au fil des années puis entretenu avec soin, gestes et sourires courtois malgré la chaleur des après-midi de Tucson. Mais tout est vague. Avant la venue de Lorna, il n'y a qu'un espace achalandé, rempli de clients, de vendeurs, le bruit continu de l'aspirateur.

Lorna, cette présence neuve, sera toujours dans mon souvenir comme un point de repère parmi les séances scolaires où l'écriture et la lecture se forment comme un apprentissage au savoir. Je lisais beaucoup mais, hasard étrange, toujours en la présence de Lorna. Elle m'épiait. Sur le qui-vive et silencieuse, Lorna cherchait sur mon visage à retracer les signes qui en moi faisaient images. Dès que je levais les yeux vers elle, son regard se mouillait comme si les mots qu'elle imaginait dans ma bouche pouvaient, en sa présence, se transformer ou être partagés comme une émotion. Alors, pour détourner son attention et surtout pour qu'elle ne puisse lire dans mes pensées, je parlais de manger.

Un jour alors que je voulais des feuilles blanches et qu'à toute allure je cherchais ma mère, je tombai sur la forme nouée d'une double présence. Ma mère était assise sur les genoux de Lorna et Lorna griffonnait distraitement sur son dos des lettres géantes. Je demandai des feuilles et Lorna me répondit qu'il ne servait à rien d'écrire, qu'il valait mieux jouer et crier fort. J'allais protester, dire que chaque lettre était un jeu, un oiseau, un chat, une fl... lorsque je remarquai qu'une des fleurs du tablier de ma mère était tout entière abriée par la main libre de Lorna.

Pourtant cette nuit. Très jeune, j'appris à aimer l'orage, le feu, la foudre, le tracé électrique qui éraille l'horizon comme si chaque déchirure allait ouvrir un passage aux pensées. Les nuits d'orage sec, j'explosais au loin, je serrais les mâchoires, je tremblais, tout mon corps se chargeait de larmes et de froid mental. Puis je m'abandonnais à tous les éclairs comme s'il s'agissait dans la chair d'être liée momentanément au bruit que font les neurones devant l'immensité. Alors le corps fond, abrégé comme une certitude. Le désert boit tout. La fureur et la solitude.

Dans le désert, il faut vouloir poursuivre son chemin, entrer dans la béance du monde. Quelques nuages ici et là qui frôlent l'horizon, qui dessinent de petits plombs dans l'air. Je connais l'éclat permanent du métal, les dragées, les cendrées, la grenaille. Je sais ce qu'il faut, fille du désert, je n'ai jamais cessé de croiser le fer et le sentiment.

CHAPTITRE 2

L'hom'oblong veille. Il s'est étendu encore tout vêtu.
Il revoit l'explosion. Ses vêtements sont froissés, les souliers sont sales. Il songe un instant à l'art et à la beauté du
spectre solaire, puis il se lève et se dirige vers la commode.
La petite revue de femmes nues est à sa place, enfouie sous
les chemises blanches, orange et jade. Il prend la revue,
retourne vers le lit, tapote l'oreiller, s'installe confortable-
ment. Il feuillette, il s'attarde ici, là, il attend que quelque
chose arrive. «Maintenant nous sommes tous des chiens.»
L'hom'oblong passe en revue les sexes. Pas de visages,
surtout pas de visages! Les sexes font des cernes autour des
images labiées. Puis les cernes explosent. Il ferme les yeux.
Il neige lentement comme en ce bel hiver à Princeton, la
veille de ses 20 ans. C'est encore l'insomnie. La confusion
entre les calculs et les résultats. L'hom'oblong connaît de
grands lacs bleus, pense à la forêt, aux arbres d'améthyste
à tout jamais pétrifiés. Il neige dans l'éternel. Splendeur et
splendeur. «Maintenant que la mort et l'écriture sont sur la
langue un interdit.» L'hom'oblong entend l'explosion.
Tout son corps se raidit, forme crispée. Son feutre est
tombé, mou. Il allume une cigarette.

Dans le désert, la peur est exacte, bien proportionnée, n'affiche pas de masque. Elle est utile, précise, fait du beau travail. La peur, ici, se fréquente comme une histoire naturelle. Elle est exceptionnellement sommaire, quelques illustrations: becs, crocs, dards, langue bifide.

Au Motel par contre, la peur épouvante. À l'écran comme en pensée, fragmente les corps, assassine quotidiennement. La peur renifle l'ennui et fait froid dans le dos. La peur insiste, amplifie le tourment de vivre, permute dans le cerveau les certitudes et les galéjades.

J'avais 15 ans et je parle encore de la peur car elle me surprend toujours à l'improviste. Mais la peur exacte est belle. Chaque nuit, on peut la voir errer, relent d'éternité dans la forêt pétrifiée. Oui, la peur exacte allume le plexus et tresse d'étranges soleils dans les yeux.

Lorsque Lorna est venue vivre avec nous, ma mère hésitait à parler de la peur. Je la sentais, confuse, lente et tout à la fois prête à se déclarer. Ma mère disait: «Lorna, je suis à bout, je flaire un danger» et Lorna incarnait dans son rire, dans ses gestes, dans ses yeux, une menace imprécise qui brisait la voix de ma mère. Lorsque Lorna plongeait de tout son corps ailé dans la piscine, ma mère suppliait: «Lor, Lor, ne fais pas cela» et Lorna, amusée de la peur incongrue qui s'emparait de ma mère, me prenait dans ses bras et nous devenions dauphins, dos gris, de gros moutons sur la mer. Ma mère se penchait au-dessus de l'eau et je pouvais voir son corps comme une forme géante se découper sur le ciel. Alors la bouche pleine de bulles et balbutiante de joie, je faisais surface; les yeux rougis par le chlore, je crachais souverainement sur le monde comme un grand dragon.

Je raconterai peut-être un jour tout cela, ma vie. Un jour quand plus rien ne me semblera vrai. C'est déjà beaucoup dire quand je parle de la nuit et du désert car en moi l'horizon immédiat affine le tranchant biographique. J'ai abusé de tout, des étoiles, de l'aube, touché la pierre, connu le métal, caressé la forme assoupie des bêtes, manœuvré tant de fois devant l'horizon magique pour que l'énergie qui me hante déferle comme une réponse, une chose audible parmi le bruit, l'instinct. J'avais 15 ans et je savais choisir entre les personnes, la doublure, le personnage. Je savais *fata de fata* qu'un soupçon de peur était dans la nuit, synonyme d'affranchissement. J'appuyais sur l'accélérateur et peur, ô nuit, bruit, c'est si fragile le corps quand le silence ne tarit point dans le noir.

La nuit! Oui, j'ai vu l'aube. Souvent. L'aube, les spectres, le spectacle fascinant du temps tourbillon, poussière. Je filais. J'hurlais au grand jour. La nuit sur l'autoroute, je vivais fort. Puis à nouveau c'était la piscine, des filles en maillot et ma mère au téléphone tout occupée à la voix, toute vêtue de son image. Lorna s'approchait d'elle et ma mère décidait du moment, de la caresse. Dans leurs yeux, le quotidien était soudain vrai, sans écran, puis détecté par mon regard, se suspendait comme une décision.

Certaines nuits, le sombre desséchait les mots et cela me fascinait de voir la peau de délire tomber comme la fièvre à l'aube. Alors je pouvais exister sans comparaison, capable seulement d'une grande soif entre mes lèvres et le vent fort. La siccité.

J'étais toujours certaine de tout. Des gestes, du temps, de la distance, de l'horizon. De tout sauf des mots.

La peur lente des mots. Une peine effrayante dans toutes mes veines.

Un jour de mai alors que la chaleur bougeait encore très fort dans l'atmosphère, je m'arrêtai au beau milieu de nulle part pour examiner un immense *saguaro* entre la vie et la mort. Comme à l'accoutumée, je chantais — *over and over*, partir. Puis comme si l'horizon s'était soudainement retourné vers moi, je sentis la peur pénible s'emparer de moi. Le *saguaro* vacillait. Les mots. Tout était au ralenti, la vie comme une synthèse irréelle accomplie dans le corps. Mais plus de route, plus de cactus, d'aube aucune, seulement l'instinct de survie qui d'un coup fort ramène les mots à leur juste valeur.

«Du papier!» Je retournai à l'auto, ouvrit la boîte à gants, déplaçai le revolver, m'emparai du petit carnet pour écrire tout ça ou à propos de cela, j'en avais une folle envie. Ça éclatait dans ma tête, *la beauté filait douce comme une ombre, longeait de grands canyons, serpentait, arroyo, agonie, cumul, culbute, dévalait parmi les candélabres, les* teddy bears, *les épines et les fleurs, ça m'excitait, ça se déchaînait, brave bête, épiderme consentant,* la vie multiple. Puis la peur s'en alla blêmir au loin.

L'horizon est courbe. L'atmosphère satinée autour de l'auto. Je rentre au Motel. Je roule vite, en tête, ma mère et Lorna. Ma mère est distante, Lorna, devant le téléviseur. Folle, folle déception, folle lueur dans ma chambre, vite mes doigts là, c'est ça, *wet*, vacille, m'*envas*.

Cette nuit-là, les mots tournèrent longtemps dans ma tête, s'enroulèrent autour de moi, firent tourner l'émotion. J'eus l'impression de mille boucles dans mon corps, des intuitions solennelles au sujet de la vie, à propos de la mort. Puis la réalité devint une IMAGE. Je m'endormis à l'aube, langée, sirène, objet de l'image.

Maintenant, je connais la peur en différé. Je passe mon temps devant le téléviseur. Je longe le bruit cru des voix, l'inquiétude qui se communique. Je connais la réalité. L'humanité comme une forme ombrée. Elle bouge lentement, ophidienne, peau de lenteur dans la poussière, camouflage, mue. Immobile, peau morte, petit fétiche à ras du sol, somme aux pieds des *senitas* et des *ocotillos*. La peur de la peau creuse au fond des yeux pendant que l'orange et le jade au loin forment de beaux sentiers dans le feuillage. La peau fait peur aux ignorants. La peau, c'est ça.

Ce même mois ma mère fut triste et Lorna fut douce envers moi. Je relançais ma mère pour qu'elle regarde ce que j'avais écrit. Je laissais des messages partout comme autant d'indices de mon désir. Le soir, ma mère racontait mon histoire à Lorna en omettant le récit. Lorna riait nerveusement. Alors, j'augmentais le volume et la toute peur panique prenait place dans la réalité comme un œil malpropre.

Depuis que j'avais osé écrire, la réalité s'installait en toute chose, prenait beaucoup de place. Les clients arrivaient, texans, «oiseaux pâles» du Wisconsin et du Minnesota. Beaucoup de vieux et de vieilles. Des vendeurs. Quelquefois des femmes qui lorsqu'elles étaient ensemble faisaient du brouhaha. Encore des jeunes filles en maillot. J'écoutais les conversations au Bar. Les gens appuyaient leurs dires sur des clichés, d'autres riaient grassement; il me semblait que tous payaient cher le maigre pouvoir de vivre.

Un soir, je vis enfin cette fameuse Angela Parkins dont ma mère disait qu'elle était excessive. Elle était encore jeune. On la disait géomètre. Elle venait au Bar une fois par mois. Elle discutait avec des hommes. J'écoutai leur conversation. Je ne pouvais tout comprendre et quand cela était, j'observais les physionomies. J'accumulais mes pensées puis d'un seul coup je relâchais les masques et les sourires. Seul le visage rare d'Angela Parkins continuait de m'habiter comme une chose intime.

La soirée se poursuivait lente et sans histoire lorsque

la voix d'Angela Parkins détonna comme un engin
d'abord insolite, ensuite menaçant. Puis la voix s'éleva
hystérique et capricante, fit en moi irruption sauvage. Ma
mère dit que c'était l'alcool, trop d'alcool, mais je voyais
bien que dans la voix d'Angela Parkins il y avait plus
qu'une simple débauche. Infiniment plus qu'une ivresse.
Elle était tout entière îlot de résistance, butte-témoin au
loin dans le désert. La soirée continua d'être enfumée.
Angela Parkins se retira avant 11 heures. Je la suivis
jusqu'au stationnement. J'avais 15 ans et je voulais que
tout mon corps soit nécessaire. La réalité avait un sens.
Comment?

   Le lendemain, je partis pour Albuquerque où habitait
ma cousine Grazie.

CHAPTITRE 3

Les yeux de l'homme étaient démentiellement arrogants. Il bougeait sa tête de haut en bas et à chaque mouvement c'était l'explosion. Le plafond, le plancher, l'explosion. Tout son corps était soumis à l'accélération. Son image s'allongeait, somme impossible, masse fantastique. Il était perdu, plus de corps en lui, seulement la poussière qui retombait tout autour comme une raison froide. Il ne guérirait jamais de l'hiver, lui qui savait pourtant être si chaleureux quand l'odeur de la rosée lui redonnait espoir. L'hom'oblong était terrorisé. L'ombre se multipliait, aberrante et intouchable. Il rêvait de poèmes et de sanskrit mais déjà la cendre, déjà le sang entraient dans la bouche ouverte et silencieuse qui obstruait dans son cerveau la belle image aux mille cristaux qu'il avait inventée. Puis l'hom'oblong traça des chiffres sur le mur. Traça compulsivement la mort. Son corps s'épuisa contre le mur. Son ombre. L'explosion était parfaite dans le jade.

Je roulais calmement. C'était torride, lumineux. Pas
de musique, pas de voix. Seulement moi. Le silence partout. J'avais choisi de m'imposer le plein soleil, d'épuiser
mon corps comme si cela pouvait m'aider à retrouver le
temps d'avant la réalité. Je roulais et le désert était maintenant un vrai danger sec et tranchant, plein de pièges. Je
n'avais pas emporté une goutte d'eau. Je m'imposais chaleur, soif, tourments afin que les petites choses vraies que
l'on voit le long des routes puissent trouver leur résolution
en moi. Je voulais en mon corps civilisé que la bête résume
son code, que dans l'hyperréalité du bleu les images soient
réduites à quelques aperçus, que cesse le flot violent des
mots. Que du vrai. Rien à penser. Du chaud, de l'asphalte.

Je résume la réalité, ma vie dans la lumière aveuglante. Un jour j'ai rêvé *full feeling* entre Phoenix et la
forêt pétrifiée. Dans l'espace *tout flambait, carnaval voix
l'horizon, beau bal masqué, cavalcade, la forêt fougères
en furie, la beauté fougueuse, il y avait tant de mots pourtant pourvu que pensée patiente.*

J'étais maintenant entrée dans la peur de l'indicible.
Sans le vouloir, j'avais franchi la limite, fractionné la
frayeur et maintenant tout était décalé. Un pli énorme
dans le silence. Dans le désert on plie sans calcul. Face à
l'horizon, le corps s'expose, avide, à ne point trouver de
sens.

Je roulais maintenant toute à la joie d'imaginer Grazie

à qui je parlerais d'Angela Parkins, de cette femme connue sous la pluie dans la nuit d'un mardi. Je frissonnerais. Je fabulerais. Je raconterais feu vif, tout ce que j'avais éprouvé comme en songe dans la forêt pétrifiée. J'oserais dire tant de choses. Grazie m'encouragerait. «Encore une histoire, une autre version, ton vrai visage. Parle, dis-moi tout. Raconte aussi à propos de Lorna et de ta mère. Leur rire, leur peur, leur voix, la nuit, les paroles. Parle-moi, sois flamme, lèche, embrase pour que le mauve éveille en nous d'amples manières de songer. Allume en moi ce qui, peut-être, un jour.»

Grazie était de 2 mois mon aînée. Nous étions, à ce que nos mères disaient, comme «de vraies sœurs». Ma mère m'avait tout raconté. «C'était par une belle nuit d'avril. Nous étions toutes deux enceintes, rondes, si tu nous avais vues, rondes et veloutées, mûres, à point comme des syllabes, tout en écho au sommet de Dante's View. Si seulement, Mélanie, tu nous avais vues, mais la nuit.»

Je conduis lentement vers Albuquerque. Oh la certitude! Grazie m'attend. À la jonction de la 🛡10 et de la 🛡15, il y a une bande de motards qui fument le nez en l'air. Deux filles conversent, une bouteille de bière à la main. L'une d'entre elles m'adresse un signe de victoire et l'autre, à peine décalée dans l'espace, m'«encule» violemment du majeur, puis tout le coude y passe. J'accélère. Je connais la réalité. La peur c'est rien, c'est rien quand on est *fast so fast*. La peur s'évanouit tache sombre dans le rétroviseur.

La route était comme un décalage horaire imperceptible dans l'air tremblant. J'avais 15 ans et devant moi toute la réalité pour me gâcher l'existence. Comme cette liberté qui, là où j'ai grandi, était une arme capable d'éloigner la peur et la nostalgie. Il y avait aussi une autre liberté, celle-là plus légère, qui sentait propre, l'encens et la poudre. Alors la liberté d'un seul coup PAN visait la liberté.

Donne-moi une bouchée de liberté, disaient les hommes. Bouchonne-moi donc, répondaient les femmes. Ah, la liberté ce que ça fourvoyait le monde!

J'ai perdu le désert. J'ai perdu le désert dans la nuit de l'écriture. Il y a sans doute un moment où il faut savoir s'arrêter, bloquer devant la bêtise, convenir que les mots ne sont pas toujours à la hauteur ou qu'ils peuvent assombrir notre enthousiasme, déjouer nos belles manœuvres pensantes. Maintenant, il faut que l'évidence ranime en moi le désert et qu'à nouveau le serpent corail et le lynx roux bisent le sol de leurs couleurs. Il faut que le lièvre antilope retrouve sa vitesse, sa bourre blanche, que les pierres de mystère qui marchent dans la vallée de la Mort balisent de leur poids l'horizon. Il faut que l'évidence revienne, que la certitude comme un trop plein d'images au fond du cerveau répartisse en moi le vide, m'expose totalement.

Il y a des mémoires pour creuser les mots sans souiller les tombes. Tutoyer est un enracinement. Je ne peux tutoyer personne. Point d'altérité, seulement une alternance dans l'apparence. J'ai besoin de toutes mes tensions et de légèreté. Il ne faut pas qu'Albuquerque explose dans ma tête.

En entrant dans Albuquerque, je sens la fatigue, je suis fou rire, mots tordus, tête baroque dans le beau jeu de la réalité. Soudain.

Grazie m'accueillit chaleureusement. Elle se fit tendre, attentive et joyeuse, caressa mon tatouage sur l'épaule. Très sensuelle. Puis nous avons mangé, ri, et j'ai bu sans arrêt jusqu'à ce que des phrases commencent entre nous à répartir l'enjouement, à égrener les souvenirs, à partager le temps. Grazie aimait parler et j'aimais son parfum. Elle me parla de blessure, de danse, d'une série de photos prises devant le miroir. Je ne sais pourquoi mais entre chacune de ses phrases je pensais à Lorna, à la manière qui est la sienne de se rendre intelligible entre deux phrases tordues et les bras doux de ma mère.

«Grazie, viens, il fait froid dans ce grand lit. Viens. Éloigne-toi. Allume. Éteins. Je vais lire toute la nuit. Tu ferais mieux de dormir. Tu vois bien que c'est doux, touche un peu, tu vois, attends... Une fois seulement, c'est tellement bon.»

La vie s'en va, la vie s'en va. Cette nuit, je dormirai, petite bête esseulée, dans le creux du sommeil plein d'encens de Grazie.

CHAPTITRE 4

L'hom'oblong émergea de la nuit et recouvra son corps. Il faisait encore sombre. Aucun bruit pour parer à l'isolement. L'hom'oblong se redressa avec peine comme si la nuit en avait été une de grande beuverie. Il s'appuya contre le mur, vit que son chapeau avait roulé au pied du lit. *Demain*, pensa-t-il, le ciel sera beau. Mais partout encore, l'aurore était en lui fragmentée. Les chiffres qu'il avait tracés sur les murs venaient à sa rencontre, le suivaient pas à pas dans la petite chambre. L'hom'oblong, qui avait consacré sa vie à espérer la beauté, comprit qu'une fois enchâssée dans la science la beauté ne pouvait que pâlir. Il ne pourrait lui non plus soutenir le rythme obligé des équations, son insatiable appétit de connaissance. Il se sentit vulnérable et amer. Il ferma les yeux et s'abandonna à la voix morcelée qui implorait en lui, *libera*, *memento*, demain le ciel serait bleu, il n'y aurait plus de déchets dans l'atmosphère.

Grazie et sa mère sont parties au centre commercial. Je suis là, derrière la fenêtre, et je regarde la réalité passer. Rien. Je ne vois rien. Seulement la réalité. Un jour, je sortirai de tout ce fatras. La beauté est avant la réalité.

Pour l'instant, reprendre la route du désert, retrouver le Motel, la piscine, les filles en maillot. Le réalité se montrera *topless* dans l'éclairage pendant que les tueurs à gages suivront à la lettre leurs instructions. Le cerveau est fragile. Il n'est pas facile de substituer les images, d'allier l'abîme et la plénitude en soi. Grazie n'aura jamais 15 ans.

Au retour, je roulai vite, *fata de fata*. Pourquoi rêver en imaginant des baisers, des étreintes, en pensant que le lumière est si belle parmi les fouquières et les *paloverdes*? Ça luit les motels, les roulottes, la tôle, les pylônes, même la rouille et tous ces pneus comme des condoms séchés. Le désert, c'est ça. Je me suis acheté une caisse de Coke et je bois. J'ai soif. Ça m'assoiffe la réalité.

J'avais 15 ans et je regardais la réalité empiéter sur la beauté pour en faire parade et parodie, comme si le vice caché de la violence voulait tâter de tout. Dans la lumière crue, l'aura tremblante de l'humanité se défendait contre la réalité.

La réalité défilait. De temps à autre l'humanité se montrait autour des roulottes et des snack-bars. C'était une femme en T-shirt, grosse de mille grossesses, des enfants calqués sur le destin. La réalité défilait, longeait habilement les atavismes, le hasard, la destinée comme un courant électrique. C'était tantôt un corps à moitié enfoui sous le capot d'une auto. Tantôt un jean, un chapeau, des ombres plaquées au sol. C'était alternance de fiction, de désert et de beauté. Des étendues dans la pensée. Des épisodes à l'approche des villes. Oui, j'étais attirée par la réalité, fascinée par ses multiples facettes, sa prose écartelée entre la matière quotidienne et le chichi du désir. Mais la réalité œuvrait sans mandat dans le volume du corps pensant. Elle actualisait les routes faciles, le déjà pensé de l'instinct, humiliait le besoin passionné de splendeur. Je n'étais qu'une forme désirante dans le contour de l'aura qui entourait l'humanité. Il me faudrait la surprendre là, dans son impossible dimension.

Oui, il me fallait un corps devant l'impensable, un corps qui puisse filtrer le mensonge, la violence, la peur, la nuit comme à l'aube, un corps capable d'écarter la foudre, d'éloigner le cri tenace d'instinct.

Je roulais, parfaite au bord de la solitude. Je ne désirais que l'horizon, un peu de lumière comme naturellement le jour, l'odeur du désert.

Mais il faisait froid dans la nuit du désert et partout où la chaleur donnait vie, je tremblais qu'elle transpose tout du côté de la mort. Je tremblais de rendre la réalité comme un épisode en m'approchant des êtres.

CHAPTITRE 5

L'hom'oblong prend sa douche. Il aime l'eau, que l'eau caresse et assoupisse sur sa peau le tourment. Alors tout son corps s'abandonne. Il lève la tête et l'eau pénètre par la bouche, les oreilles, les narines, découpe de grandes rigoles sur le visage osseux. L'hom'oblong aurait aimé son corps musclé. Il aurait aimé toucher ce corps neuf, sentir sa poitrine, palper les fesses fermes, les bras, serrer les cuisses dures. Il se serait senti allégé du fardeau des chiffres et son dos courbé se fût redressé prêt à tous les corps à corps. L'hom'oblong aurait aimé combattre d'homme à homme. Le battement du cœur, les veines gonflées, l'effort des muscles tendus l'auraient forcément grisé et la sueur de l'épreuve n'eût pas été comme sa transpiration pendant les heures de calcul. Il aurait aimé chaque mouvement et combien le corps de ses adversaires. L'hom' oblong ne pensait plus à l'explosion. Il était action, tension, contraction et tout abandon dans les bras de celui qu'il aurait aimé être. Il sortit de la douche, se regarda dans le miroir, vit ses joues creuses. La barbe. Il s'habilla avec empressement. Dehors le jour allait se lever mais l'hom'oblong ne fit semblant de rien. Les rideaux étaient fermés. Seule la lumière de l'explosion éclairait ses gestes. L'hom'oblong ne vit pas l'enveloppe que l'on avait glissée sous la porte.

Je pensais à Angela Parkins. Je revoyais son visage tendu, sa bouche menaçante, le tir des mots, dans ses yeux, l'humanité bien ciblée. Mais que voyait-elle Angela Parkins quand son regard affrontait l'érosion? Comment traçait-elle ses chiffres, comment ses gestes témoignaient-ils dans la chaleur et la soif de l'ivresse amoureuse?

Bientôt je retrouverais le Motel. Le soir, je m'adonnerais à la peur devant le téléviseur. Le jour, il y aurait les filles en maillot, la nuit, les conversations au Bar. Le jour, ma mère serait comme une femme. La nuit, Lorna serait avec ma mère et je m'affolerais de leur présence voilée. Je reprendrais le volant. Tout ce temps, ma pensée serait attirée vers ailleurs, précise et froide. Tout ce temps, je veillerais. En réalité, je ne céderais en rien devant l'aura tragique. Un jour, je connaîtrais tout en synchronie, l'extase, les secrets qui minent par en dedans la chère civilisation. La beauté était avant la réalité et la réalité était dans l'écriture, béance.

CHAPTITRE 6

Le jour était là, derrière les rideaux, mais l'hom'oblong n'était pas encore prêt à affronter la lumière. Il alluma une cigarette, prit un livre au hasard parmi ceux qui traînaient sur la commode. Un grand calme. Un calme envahissant qui, au fur et à mesure qu'il le sentait monter en lui, était aussitôt compensé par une excitation mentale qui ravivait douloureusement chaque nerf, rendait la peau trop vivace. Il respirait lentement mais il se savait agi par une force incontrôlable. L'hom'oblong déposa le volume, aperçut l'enveloppe blanche, se leva, entr'ouvrit les rideaux, puis sembla s'attrister du petit matin bleu, encore bleu comme la porcelaine des dimanches midi de son enfance. Sur la pelouse du Motel, une femme déplaçait un boyau d'arrosage. Le matin rutilant entra dans la tête de l'hom'oblong. Il se pencha et ramassa l'enveloppe.

J'avais roulé toute la nuit. Bientôt je retrouverais Tucson mais je n'étais pas encore prête à affronter la peur panique et le quotidien recommencé du Motel Mauve.

Je préférais m'arrêter au Motel Rouge dont la gérante était une amie de ma mère. J'inventerais une histoire, je dirais ma fatigue et mon incapacité à reprendre la route. La gérante m'offrirait une chambre. J'irais chercher mon sac dans l'auto. Dans la boîte à gants, je prendrais le cahier, le revolver serait chaud. Puis je prendrais possession de *ma* chambre. J'écrirais tout l'avant-midi. La chambre serait petite, banale, le rideau transparent, mon corps très calme en ce décor anonyme. J'aurais l'impression de tout comprendre, la nuit, Grazie, ma mère, Lorna et toutes les autres qui vivaient en moi. Je glisserais profondément dans cette chose intime qui en réalité fait loi sur tout. Ma main serait lente. L'humanité ne pourrait pas se répéter. J'inventerais. Je serais vigilante. La langue bien pendue, j'aurais de bons réflexes.

CHAPTITRE 7

L'hom'oblong examine chaque photo. Il n'y a plus de doute, l'explosion a eu lieu avec succès. Une photo est une preuve éclatante. La réalité qui était une épreuve dans la tête de l'hom'oblong est maintenant forme exposée sur la photo, beau cliché. L'hom'oblong est libre. «C'est rien, c'est rien.» Tout est dans la photo. L'hom'oblong fixe les photos sur le mur comme pour un examen final. Il s'éloigne, se rapproche. Observe l'explosion. Il allume, éteint, referme le rideau, cherche le parfait éclairage qui pourrait lécher la scène: la touche finale du regard. Puis le noir et le blanc des photos transforment toute la chambre en un immense instantané. L'hom'oblong regarde par la fenêtre. Dehors, tout est couleur. La piscine, les maillots, les parasols, l'eau. L'hom'oblong allume une cigarette. Toute la chambre est solarisée.

La réalité s'impose autour de la piscine. Me voici dans la vie de mes 15 ans devenue personnage, pure aventure dans le temps théâtral. La lumière est vive, glisse sur les tuiles, se décompose arc-en-ciel dans le regard. Les bras, les cuisses, les dos, les poitrines. La lumière assaille l'infiniment précieux désir de vivre.

Une jeune femme prend des photos. Deux autres posent. La musique entre dans leur sourire, quelques rires blanchis par la lumière. Les paupières clignent. La lumière est crue. Un instant, c'est l'éternité qui recommence. Le son des voix, les murmures, *ad lib*, la saveur des cocktails sous la langue. Un homme s'approche des poseuses, entame la conversation en français. L'homme est mince. Je ne comprends pas ce qu'il dit. Les femmes rient. Il se lève, va vers le bar. La lumière est vive. Il revient avec un verre de whisky. Il parle avec beaucoup de courtoisie entre ses phrases. Il n'est pas d'ici. Il n'est pas français non plus. J'ai soif. Je regarde vers le bar. Un plongeon. L'homme repasse devant moi. Il allonge son corps sur une serviette rayée de noir et de blanc. La lumière est crue. Le temps s'étiole. Les filles bavardent en ballottant leurs jambes dans l'eau. Je plonge. La réalité est un désir espacé dans la mémoire. Les motels se ressemblent, la réalité, envahissante.

Je nagerai un peu. Quelques longueurs, mammifère, cétacé, raine, puis je prendrai ma douche à l'heure où les touristes iront dans le désert voir éclater l'orange et sentir le mauve lentement les soustraire à l'angoisse. Quand ils reviendront, je serai au bar et la gérante dira comme si cela était rassurant que j'ai maintenant l'air d'une femme. Puis les yeux braqués sur le miroir derrière le bar, j'assisterai à la procession des clients qui viendront commander des alcools aux couleurs multiples et chercher dans la saveur l'effet calmant du soleil au coucher.

CHAPTITRE 8

L'hom'oblong récite des poèmes sanskrits. L'explosion est loin. Le nœud de sa cravate, bien fait. Les photos traînent parmi les équations. L'hom'oblong se sent léger, presque heureux. Il est prêt, enfin, à rencontrer les autorités. Une dernière nuit au motel, puis il reprendra sa véritable identité, son charme certain. Il sait argumenter et convaincre. Il sera impeccable. L'hom'oblong vit son corps disgracieux dans la glace. «Il neige dans l'éternel.» Il mit son veston et se dirigea vers le Bar.

C'est jeudi soir. Les clients arrivent en couples ou un à un. Le Bar est rempli d'accents, des touristes, quelques familiers qui font la ronde, la parade autour du bar. Je connais tout ça.

Aucune intrigue ne résiste au désert. Le désert boit tout, l'anatomie, les pensées capables en apparence d'espoir. Il faut pouvoir inventer autour de ses 15 ans. Tout pouvoir. Dramatiser, cascade audacieuse au-dessus de l'horizon, transformer l'eau vive des cascatelles en puits de lumière, immobiliser l'ombre, d'un seul élan traverser toutes les probabilités. Ici dans le Bar du Motel Rouge, le désert est déplacé. Ne reste que la soif débridée comme un torrent pouvant emporter tous les ossements, le noyau sec de l'âme. J'ai grandi dans le désert. Je n'ai aucun mérite à le désirer vrai. J'ai grandi dans la solitude. Je me protège contre l'aspect craspec du monde.

L'homme à l'accent vient de faire son entrée. Il salue les femmes de la piscine. Je commande une bière. La propriétaire murmure quelques mots qui font certainement de moi une jeune femme. Elle accueille tout son monde aimablement. La musique joue à tue-tête. Des gens dansent, cherchent à accoupler leurs pas, à s'accorder en plaçant leur corps dans le rythme. Les bras se soulèvent en forme de cape comme pour capter le hâle chaud des visages. Au fond de la salle, l'homme maigre est appuyé sur le mur et il fume.

L'aube oriente l'énergie. J'ai besoin de l'aube. Je
veux tout comprendre. J'ai soif. Quelqu'un me frôle.
Angela Parkins remue tout autour de moi, joyeuse et cavalière. Le temps ralentit, sa présence m'exalte. La musique
éclate dans ma tête. Les 3 femmes de la piscine ont trouvé
des partenaires. L'homme maigre converse avec deux
autres hommes. La musique tape fort. Les corps s'élan-
cent, chevaux au grand galop, crinières happées par
l'éclairage, yeux bleus, visages blonds, des ombres sur le
front, le sourire emporté des filles, la couleur des gestes
basanés. Tout est sensuel. Je regarde Angela Parkins. Elle
me fait un grand signe, vient vers moi, me prend par la
taille. La musique est trop forte. La musique est encore
trop douce. Le corps d'Angela Parkins cabriole, chevreuil
fou aux yeux pleins de lubies. Corps de voltige, corps de
vertige. On nous regarde. On nous observe. La beauté soudain, sournoisement. Ça chante entre les lèvres d'Angela,
ça braille, ça brame, ça psalmodie. Nos mains se croisent,
se figent, longeant le velouté de la peau, se retiennent dans
le tout bas des mots. C'est comme un grand tournoi de
sons. Puis sa joue enfin rapprochée.

Il y a si peu de temps que je connais Angela Parkins et
pourtant nous voici dans un état de tel rapprochement.
Hormis l'éternité, il n'y a plus d'espace entre nous. Nous
sommes le désert et l'évidence. Dans nos yeux, plus de
remous, seulement l'Amérique sonore et distante qui se
confond à la couleur des peaux. Peut-être encore un peu
de nuit. Les 3 femmes dansent ensemble en évitant de trop
se rapprocher. La musique est trop forte. Angela Parkins
propose de s'asseoir. Nous buvons la même chose. Puis
dans ma tête le brouhaha cesse et Angela parle d'exister.
Elle dit que tout va recommencer, paroles, sentiers, sentiments, elle dit que pleurer oblige à ralentir, que dans la
détresse tous les sons envahissent les mots, qu'ils sont tout
crus dans la bouche, que ça devient alors difficile de se
comprendre, elle dit que ça saute dans sa tête et que s'il

fallait recommencer le monde, il faudrait encore des orages, de l'électricité partout dans le cerveau, elle dit qu'il
faut espérer, que la mémoire peut encore accomplir de
beaux ouvrages, mais les yeux, Mélanie, elle dit qu'en réalité il suffit de quelques mots concis pour changer le cours
de la mort, pour effrayer les petites douleurs, elle parle et
réveille en moi l'horizon.

Il est minuit trente. La nuit continue dans la musique
à se frayer un espace, creuse son nid entre nos jambes. Le
temps travaille minutieusement. Muscle, nerf, cellule,
peau de vertige organisent en nous les mirages, les visions.
Encore un temps, une musique, nous dansons allègrement.
Puis le corps d'Angela Parkins bouge si peu. Je resserre
l'étreinte à la taille. Il fait chaud entre nous, sur les tempes, dans les cheveux. Angela, nous dansons? Plus d'écho,
plus de musique. Nos corps ne tiennent plus ensemble. Le
silence est cru. Les yeux, vite les yeux! La pupille grand
œuvre du désir se fane. Des bruits de chaise, l'agitation,
des voix qui portent. Le ravage est grand. L'hom'oblong
regarde devant lui, complètement détaché de la scène.
Angela Parkins est allongée sur le bois blond de la piste, le
corps à tout jamais inflexible, exhibé, point de mire. Mélanie, fille de la nuit, que s'est-il donc passé?

La réalité, l'aube. Néant. Tout mon corps va se soumettre. Des policiers, la craie autour du corps. Personne
n'a rien vu. Je n'ai rien vu venir. Le désert est indescriptible. Les yeux se fanent.

Puis ce fut le profil menaçant de toute chose. Puis
l'aube, le désert et mauve, l'horizon. Il y a des mémoires
pour creuser les mots sans souiller les tombes. Je ne peux
tutoyer personne.

TABLE

Cet ouvrage composé en Times corps 12
a été achevé d'imprimer
en janvier mil neuf cent quatre-vingt-dix-huit
sur les presses numériques
de Copiegraphie Pro à Saint-Hubert
pour le compte des
Éditions de l'Hexagone.

Imprimé au Québec (Canada)